Carolus

Tre Karlar

Tre Karlar

Karl X Gustav, Karl XI, Karl XII

Livrustkammaren
Stockholm 1984

Tre Karlar utgiven av Livrustkammaren med bidrag från Livrustkam-
marstiftelsen.

Pärmens framsida visar detalj av Karl XI:s riksbaner
från kröningen 1675, sannolikt utfört av Baltzar
Friedrich.
Riksvapnet omges av 49 provinsvapen som symbolise-
rar stormaktsväldets största utsträckning.

Redaktion: Gudrun Ekstrand
Omslag: Håkan Lindström
Produktion och layout: Karl-Åke Svensson, AB Allmänna Förlaget
Bohusläningens Boktryckeri AB, Uddevalla 1984
Copyright © Livrustkammaren
LF/Allf 339 84 003
ISBN 91-38-08605-0

Förord

Tiden 1654 till 1718 då kungarna av den Pfalziska ätten – Karl X Gustav, Karl XI och Karl XII – regerade i Sverige, präglades som bekant av dynamiska händelser och intressanta maktförskjutningar i den svenska inrikes- och utrikespolitiken. Efter det djärva härtåget 1658 över de isbelagda Stora och Lilla Bält under befäl av Karl X Gustav utökades det svenska väldet genom freden i Roskilde till en storlek som det varken förr eller senare har uppnått. Vid den 17-årige Karl XI:s trontillträde 1672 avlägsnades den högadliga förmyndarstyrelsen från sin position. Det avgörande slaget mot högadelns politiska och ekonomiska makt föll vid 1680 års händelserika riksdag då förmyndarräfst och reduktion beslutades och vägen öppnades för kungligt envälde. Som en följd därav svor den 15-årige Karl XII vid sin kröning 1697 ingen konungaed. Det utrikespolitiska trycket och kungens enväldiga beslut förde den svenska krigshären genom lysande segrar och förkrossande nederlag ända bort till Sibirien. Skottet avlossat vid Fredrikstens fästning i Norge den 30 november 1718, som orsakade den enväldiges död, kan också ses som en symbolisk punkt för det svenska stormaktsväldet.

I Livrustkammaren förvaras ett antal föremål som har direkt anknytning till avgörande händelser under denna tid. Man kan nämna Karl X:s praktfulla kröningsutstyrsel, beställd i Paris och avsedd att ge ytterligare legitim tyngd åt valet av just denne tronföljare; Ludvig XIV:s gåva i form av den yppersta hästutrustning till den unge Karl XI som ett tecken på de starka banden mellan Frankrike och Sverige; Karl XII:s peruk buren som förklädnad under den rekordsnabba ritten från Pitesci i dåvarande Turkiet till Stralsund; den ännu lerbestänkta kungliga kappan och den genomskjutna hatten från skyttegraven vid Fredriksten.

I den utställning, Tre Karlar, som i höst öppnas i Livrustkammaren skall svensk stormaktstid skildras med hjälp av ett historiskt bildspel och en arsenal av konst och andra föremål som bevarats från denna tid.

Dessutom breddas utställningen genom att framstående forskare här gett sin syn på en rad tidsföreteelser, vilka bäst presenteras i skrift. Boken behandlar bland annat kunglig uppfostran och samtidens litterära bild av kungarna. Den skildrar också krigets och fredens problem, karolinsk stridsteknik, svensk statsförvaltning, lyxkonsumtionens betydelse för nationalekonomin och vidgade internationella kontakter under stormaktstiden.

Livrustkammaren ber att få tacka författarna för deras välvilja att ställa sina stora kunskaper till förfogande för boken Tre Karlar, en värdig efterföljare till den föregående skriften i denna Livrustkammarserie, Gustav II Adolf – 350 år efter Lützen (1982), som förra året belönades av Svenska Akademien med det Hirschska priset.

Stockholm i oktober 1984

Kersti Holmquist

Innehåll

*Karl X Gustav i harnesk och
med kommandostav. Por-
trätt målat av Sebastian
Bourdon o 1653. National-
museum. Foto Statens konst-
museer.*

Karl XI på hästen Brilliant i slaget vid Lund 4 december 1676. Porträtt målat av D K Ehrenstrahl (1682). Gripsholm. Foto Statens konstmuseer.

Tre Karlars studier

Arne Losman

Karl X Gustav, Karl XI och Karl XII hade makt. Man kan diskutera, om denna makt ur vår synpunkt utövades på ett sympatiskt eller osympatiskt sätt. Men dessa kungars faktiska makt över människors väl och ve är odiskutabel. Därmed är det intressant att veta något om, hur de före sina makttillträden byggde upp sina kunskaper och hur deras värderingar formades.

Ämnet är stort, alltför stort inom den här begränsade ramen. I det följande tecknas en skiss av studiernas yttre organisation, viktig nog eftersom blivande furstars uppfostran var en statsangelägenhet. Studiernas innehåll behandlas översiktligt och deras konsekvenser för kungagärningen kan bara antydas.

Ämnet är också svårt, därför att det kräver en frigörelse från vår tids uppfattning av barn och ungdom. Attityderna inför både prinsar och andra barn var annorlunda under 1600-talet än idag. Philippe Ariès har pekat på många sådana skillnader. Sjuårsåldern utgjorde t ex en skarp gräns i en pojkes liv. Då förvandlades plötsligt ett av kvinnor vårdat barn till en liten man. Så var det för Ludvig XIV. Karl XII nådde denna gräns den 2 januari 1689. Då låg enligt faderns anteckning den sex och halvt år gamle prinsen första gången i sina rum och kom i manfolks händer.

Däremot saknade man vårt begrepp uppväxtår, dvs en långsam successiv övergång till vuxenliv. Karl XI begåvades som åttaåring med en undervisningsplan, som för oss ser ut som bred universitetsutbildning. Om vi inte beaktar den samtida, för oss annorlunda synen på mognadsprocessen framstår de ansvariga för planen som egendomligt optimistiska.

Karl X Gustav

Karl X Gustavs utbildning skiljer sig på flera punkter

från sonens och sonsonens. Den svenska prinsessan Katarina var Karl Gustavs mor; hans morfar var Karl IX och hans morbror Gustav II Adolf. Men faderns, pfalzgreven Johan Kasimirs tronföljaranspråk för sonens räkning var omstridda. Utsikterna att Karl Gustav någonsin skulle bli svensk regent växlade i takt med det inrikespolitiska maktspelet. Först under 1650 års riksdag valdes Karl Gustav vid 28 års ålder till svensk arvfurste och han fyllde 31 år, innan drottning Kristinas abdikationsplaner blev definitiva.

Karl Gustav fick en utbildning lämpad för en medlem av den svenska högadeln och med sikte på landets högsta ämbeten; det allra högsta ämbetet fanns alltså endast som en eventualitet. Det innebar en allsidig teoretisk utbildning. Ett brett, encyklopediskt bildningsideal var grunden för århundradets furste- och adelsmannautbildning. Men den intellektuella skolningen kombinerades med kroppsövningar som fäktning, ridning, dans, jakt m m. Harmoni mellan kropp och själ var ett sedan länge etablerat mål för all aristokratutbildning.

Till skillnad från sina efterträdare på tronen fick Karl Gustav tillfälle till ordentliga universitetsstudier och – inte minst viktigt – omsorgsfullt planerade studieresor inom och utanför landet. Hans stora utrikes studieresa var krönet på studiebanan. Han fick en lång förberedelsetid inför kungagärningen till skillnad från Karl XI och Karl XII, som började regera vid 17 respektive 15 ½ års ålder. Sonen och sonsonen gjorde inga studieresor utanför Sveriges gränser och de saknade Karl Gustavs världsvana. Synpunkten får dock inte drivas för långt. Erik XIV, som inte hade sett något av Europa, var samtidigt den mest europeiske av vårt 1500-tals regenter. Karl X Gustavs utbildning var

omsorgsfull och han stod på höjden av sin tids aristo-
kratutbildning. Frans G Bengtssons berömda ord om
kungen "en till geni sublimerad dragonöverste", är en
lika vilseledande som lysande formulering. Karl X
Gustav var en av Sveriges genom tiderna mest belästa
och välutbildade regenter.

Karl Gustavs första uppfostran leddes av kvinnor,
främst modern Katarina. Fem och ett halvt år gammal
fick han eget rum och egen kammartjänare i barn-
domshemmet på Stegeborgs slott i Östergötland.

Den första kända instruktionen angående Karl Gus-
tavs studier skrevs en månad efter Lützenslaget, när
han var nyss fyllda tio år. Riksrådet Johan Skytte,
Gustav II Adolfs forne lärare, gav råd om undervis-
ningen. Skytte var anhängare till de pedagogiska idéer,
som inspirerades av den franske 1500-talsfilosofen
Pierre de la Ramée (Petrus Ramus). Därmed lades stor
vikt vid praktisk språkfärdighet och vältalighet. Helt i
enlighet med sin ramistiska grundsyn rekommende-
rade Skytte en grundutbildning i latin, där språkinne-
håll och ordförråd sattes före de grammatiska reglerna.
"Jag finner att alle främmande språk kunne i förstonne
läres allenest av bruket och utan grammatica; så kan
det ock ske med det latiniske språket", skriver Johan
Skytte i ett brev till Karl Gustavs mor, Katarina. Sak-
liga baskunskaper skulle inhämtas i direkt anslutning
till språkstudiet; detta blev ett pedagogiskt ledmotiv
under de följande årens studier. Utom läraren borde
gossen, menade Skytte, ha ytterligare en person i sin
närhet, som kunde tala latin med honom några timmar
dagligen.

Hösten 1633 – Karl Gustav skulle snart bli elva år –
organiserades hans studier på ett fastare sätt. Enligt
mönstret för tidens fursteuppfostran utsågs en adlig
guvernör, som även kallades hovmästare, vilken hade
överinseende över studierna. En huvudlärare – med
tidens språkbruk preceptor – utförde det egentliga
pedagogiska arbetet. Därtill kom olika speciallärare,
språk- och exercitiemästare som undervisade i mo-
derna språk, ridning, dans m m. Till guvernör utsågs

Johan Drake, som nyss hade kommit hem från studier
i Paris. Efter Drakes död redan 1635 övergick sysslan
till Gustav Bosson Bååt. Efter dennes död följande år
blev Johan Rosenhane Karl Gustavs guvernör. Den
bristande kontinuiteten vad gäller guvernörskapet
kompenserades av att Karl Gustav fick behålla samma
preceptor från 1633 och under hela den följande stu-
dietiden. Läraren var son till Växjöbiskopen Johannes
Baazius och hette Bengt Baaz (senare adlad Ekehielm).
Bengt Baaz hade studerat i Rostock och Uppsala och
han hade 1632 som den förste studenten skrivit in sig
vid det nygrundade svenska universitetet i Dorpat, där
han tog sin magistergrad. Två inflytelserika män,
Johan Skytte och morbrodern, riksamiralen Karl
Karlsson Gyllenhielm, handplockade i samråd Baaz
som preceptor för Karl Gustav.

Från 1634 vistades Karl Gustav vid det svenska
hovet. Där mottog han ofta brev från föräldrarna –
moderns på tyska, faderns på franska – med råd om
studier och om lämpligt uppförande. Sonen svarade,
med eller utan lärarens hjälp, på tyska, franska, svenska
och latin. En instruktion för guvernören Bååt 1635,
utfärdad av fadern Johan Kasimir, betonar vikten av
kristendomsundervisning i form av bibelläsning mor-
gon och kväll samt gudstjänstbesök, som skulle åtföl-
jas av förhör angående predikans innehåll. Liknande
anvisningar om att lära en sann gudsfruktan torde
inleda flertalet instruktioner för furstlig uppfostran
under 1600-talet. Ett särdrag i Johan Kasimirs anvis-
ningar för sonen är kanske den ovanligt starka tonvik-
ten vid att denne skall ställa sig in hos inflytelserika
personer. Detta hänger samman med den pfalziska
familjens politiskt osäkra ställning i Sverige och
faderns ambitioner för Karl Gustavs räkning. Även
modern framhöll vikten av att bli omtyckt både av
Gud och människor. Hon uppmanade honom också
att äta bröd för att hålla sig frisk.

Språkliga övningar i både tal och skrift var en domi-
nerande del av Karl Gustavs utbildning. Tyskan kunde
man bortse från. Den var hans familjs språk, som han

Johan Kasimir 1589–1652, pfalzgreve av Zweibrücken. Okänd konstnär. Gripsholm. Foto SPA.

hade växt upp med. I stället betonades latinet och franskan. Bevarade skrivövningar på latin och franska vittnar om den retoriska skolningen. I instruktionen för Bååt föreskrevs att samtal mellan guvernör, preceptor och elev endast fick föras på dessa båda språk. Sannolikt fick Karl Gustav även någon kunskap i andra moderna språk. Bland hans och systern Kristina Magdalenas studielitteratur fanns t ex ett lexikon med glosor och fraser även på flamländska, engelska, spanska och italienska. Utbildning i politisk teori fick han

genom nyare statsrättsliga arbeten och genom de antika historikerna. Enligt tidens gängse uppfattning inhämtades av de historiska författarna också moralisk uppbyggelse. Den trettonårige Magnus Gabriel De la Gardie, årsbarn med Karl Gustav, sammanfattade år 1635 med sin lärares hjälp ett bildningsideal, som genomsyrade också Karl Gustavs studier. I detta tal vid Uppsala universitet hävdade De la Gardie att de antika författarna ger kunskap om stora mäns ärorika exempel, som eggar ädla sinnen att uppnå berömmelse till fäderneslandets nytta i krig och fred.

Karl Gustavs studier var inte bara teoretiska; det gängse adliga bildningsidealet förutsatte som nämnts, att kroppens övningar inte fick försummas. Hovmiljön gav tillfälle till att öva ridning, fäktning, jakt och bollspel. Dansen övades tillsammans med den fyra år yngre kusinen drottning Kristina. Fester och torneringar gav övning i höviska manér. Den spenslige ynglingen – korpulensen kom långt senare – var på väg att bli en fullfjädrad aristokrat, ett i Sverige tidigt exempel på vad fransmännen kallade en "honnête homme".

Men det riktades kritik mot hans utbildning. Rikskanslern Axel Oxenstierna kom 1636 hem från sin långa Tysklandsvistelse. Han kände ett ansvar för Karl Gustavs utbildning, trots att han var motståndare till den pfalzgrevliga familjens anspråk på tronen. Axel Oxenstierna företog en inspektion i februari 1637. Han fann, att Karl Gustav inte bodde ståndsmässigt. Moderna auktorer saknades i studiebiblioteket enligt kanslern och han rekommenderade vackra böcker, glober och kartor.

Oxenstierna hade i annat sammanhang uttryckt missnöje med sin egen utbildning, som han menade hade varit alltför lärd och föga nyttoinriktad. Dock torde han vara nöjd med Karl Gustavs utbildning i praktisk samhällskunskap under 1636. Då gjordes studieresor bl a till Bergslagen, där man ingående studerade bergsbruk och gruvteknologi.

Axel Oxenstierna menade, att Karl Gustav borde genomgå en kurs i Riksarkivet för att studera statsapparatens funktion. Ynglingen borde vidare studera en tid vid Uppsala universitet samt göra en längre utländsk studieresa, en s k peregrination. I 1630-talets Sverige blev det som rikskanslern sagt. Den femtonårige ynglingen genomgick kursen på Riksarkivet, i enlighet med de instruktioner som Oxenstierna gav åt riksarkivarien Johannes Bureus. Våren 1637 gjordes ett kortare besök i Uppsala, där Karl Gustav introducerades hos professorerna av Oxenstierna själv. I januari 1638 genomgick Karl Gustav en tre timmars examination inför Oxenstierna för att kontrollera resultaten av de tidigare studierna. Kanslern var ganska nöjd men tyckte att Karl Gustav studerade för mycket teologi, återigen ett uttryck för kanslerns reaktion mot sina egna, teologiskt inriktade ungdomsstudier. Kanslern menade också att Karl Gustav låg och drog sig för länge på mornarna. Det var nog att sova till klockan fyra.

Någon vecka efter förhöret inför rikskanslern for Karl Gustav till Uppsala för att studera där under tre månader. Karl Gustav medförde en svit om tolv personer, vari ingick guvernören Johan Rosenhane och preceptorn Bengt Baaz. Studieplanen var uppgjord av Oxenstierna – främst inriktad på teologi och de klassiska auktorerna, Tacitus och andra – och mödorna övervakades av ärkebiskopen Laurentius Paulinus Gothus och av teologiprofessorn Johannes Lenæus. Den senare bidrog också med lärorika bordssamtal på latin; Karl Gustav var inkvarterad hos Lenæus. Kontakterna med Uppsalateologerna kan också ses som en sorts religiös vaccinering. Prästernas kontroll ansågs viktig inför kommande utlandsresor och möten med andra än lutherska trosuppfattningar. Prästerskapet hade anledning vara särskilt uppmärksamt beträffande Karl Gustav, som var son till den reformerte Johan Kasimir.

Någon akademisk grad eftersträvade Karl Gustav inte, lika litet som övriga adelsstudenter. Men ett par orationer – offentliga latinska lärdomsprov – var ändå bevis för hans akademiska färdigheter.

Karl Gustavs stora europeiska bildningsresa, "le grand tour", 1638–1640 utgjorde hans studiers höjdpunkt och avslutning. Sådana resor var en allmäneuropeisk företeelse inom de kretsar som kombinerade hög börd och god ekonomi. Den unge mannen – flickorna var inte aktuella i sådana sammanhang – åtföljdes i regel av guvernör och preceptor. Syftet med resorna var vittfamnande i likhet med hela det encyklopediskt breda adliga bildningsidealet. De främmande ländernas geografi skulle studeras men även samhällslivet. Den teoretiska skolningen i t ex historia och statsrätt kunde fullföljas vid universiteten och de speciella s k adliga exercitierna kunde övas vid riddarakademier: de omfattade moderna språk, ridning, fäktning, dans och musik. Tillämpad matematik och geometri för olika militära ändamål var viktigt, främst för befästningskonsten. Men fortifikation var bara en del av vad man har kallat en geometrisering i barockens kultur, inte minst adelskulturen. Vi möter speglingar av denna geometriska världsbild inte bara i andra militära tilllämpningar såsom i exercisen. Den finns också i de höviska manéren, i hovens danser och baletter, i ridkonsten och i ryttarbaletter, i fäktkonstens stränga koreografiska mönster. Under besöken vid adels- och kungahov kunde den unge mannen öva sig i detta sätt att föra sig i strikt stiliserade mönster.

Karl Gustavs edukationsresa motsvarade de högsta anspråk på "le grand tour". Den planerades noga av bland andra Johan Kasimir och Axel Oxenstierna. Fadern, som själv hade gjort liknande resor i seklets början, krävde att sonen skulle studera allt i de besökta länderna från jord- och bergsbruk, skatte- och domstolsväsen till vetenskapliga institutioner. Samtidigt skulle Johan Rosenhane och Bengt Baaz förhindra ur moralisk synpunkt olämpliga nattutflykter och dåligt sällskap. Jesuiter räknades som särskilt tvivelaktigt umgänge.

Resan har utförligt skildrats av Hilding Rosengren på grundval av Karl Gustavs reseanteckningar och ett stort brevmaterial. Varje detalj i resruttens planering

Pfalzgreve Karl Gustav, kritteckning av fransmannen Daniel Dumoustier i Paris 1640. Bibliothèque Nationale, Paris. Foto Bibliothèque Nationale.

och studiernas innehåll diskuterades i brevväxlingen mellan resenärerna och de hemmavarande beslutsfattarna, främst Johan Kasimir och Axel Oxenstierna. Den unge pfalzgreven reste under ett ofta röjt inkognito: Gustavus Johansson. Resan inleddes i maj 1638. I Danmark besågs försvarsanläggningar, t ex Kronborg, som Karl Gustav skulle återse tjugo år senare under andra omständigheter. Man fortsatte via Hamburg, Stade, Bremen och Oldenburg till akademierna i Gro-

ningen och Franeker. Vistelsen i Holland blev bara tre veckor lång. I Haarlem imponerades Karl Gustav av kyrkoarkitekturen och i Amsterdam, Leiden och Haag studerade han fortifikation, handel, socialvård, teater och konst. Han besåg också Bernhard Paludanus' berömda naturaliekabinett i Enkhuizen.

De egentliga utlandsstudierna inleddes med en sammanhängande niomånaders Parisvistelse. I början av denna period föddes den blivande Ludvig XIV och därmed fick Karl Gustav ett av många tillfällen till studium av ceremonier och festligheter, baletter och andra spektakel. Detta var ett viktigt moment i alla adliga och furstliga edukationsresor. De teoretiska studierna omfattade politik, historia, geografi och var en fortsättning på Uppsalastudierna. En exercitiemästare övade honom i franska och han tog lektioner i fortifikation.

Sommarhalvåret 1639 tillbragtes med resor i Frankrike, Schweiz och Tyskland. Karl Gustav hade egentligen velat se även Italien men fadern avstyrkte. Man besökte många furstehov och företog överallt en nitisk sightseeing, t ex under besök vid universiteten i Strassburg och Montpellier. Vidare studerades t ex bibliotek och konstsamlingar, Lyons sidenindustrier och fiskenäringen i Marseille.

Hösten 1639 återkom Karl Gustav till Paris. Under det närmaste halvåret finputsades där hans aristokratutbildning vid en berömd riddarakademi, som leddes av en monsieur Benjamin med stöd av den franske kungen. Där läste han matematik, fortifikation, geografi och historia för olika facklärare. Dessa bokliga studier bedrevs mellan klockan halv fem på morgonen och klockan tio på förmiddagen. Eftermiddagen ägnades åt ridning och andra exercitier.

En väsentlig del av utbildningen under Karl Gustavs vistelser i Paris – tillsammans ett år och tre månader – var umgänge med framstående kulturpersonligheter. Den kanske viktigaste av dessa var Sveriges sändebud i Paris, folkrättsexperten Hugo Grotius, som orienterade Karl Gustav i politiska och diplomatiska frågor.

Sannolikt läste och diskuterade Karl Gustav med Grotius dennes berömda arbete om folkrätten, *De jure belli ac pacis.*

Sommaren 1640 gjordes ett kort besök i England, där man bl a såg Canterbury, London och Oxford. Via Hamburg var man åter i Sverige i augusti. Under hösten följande år kompletterades Karl Gustavs studier med en av Karl Karlsson Gyllenhielm och Johan Kasimir planerad resa i bl a Värmland, där han besåg bergverk och andra industrianläggningar. Därmed var den 19-årige Karl Gustavs mångåriga studier avslutade, om vi bortser från en fortsatt militär utbildning på slagfälten under Lennart Torstenssons och andras ledning. Studierna hade omsorgsfullt planerats av män som Johan Kasimir, Johan Skytte, Karl Karlsson Gyllenhielm, Axel Oxenstierna och Hugo Grotius. De uppställda målen hade nåtts. Karl Gustav var förtrogen med europeisk historia och med samtida samhällsliv. Han kunde uppträda med världs- och hovmannens lediga elegans och motsvarade de kontinentala kraven på den fulländade gentlemannen, en "honnête homme". Han talade och skrev fyra språk ledigt: svenska, tyska, latin och franska. Han förstod italienska. Många tryckta skrifter, som inköpts för hans studier under den stora resan finns bland Johan Rosenhanes bevarade böcker i Uppsala universitetsbibliotek. De behandlar på franska, italienska och latin ämnen som politik, historia, krigsvetenskap, ekonomi och geografi.

Karl Gustav var väl rustad att bekläda statens högsta ämbeten, även om ingen kunde säkert veta att han långt senare skulle bekläda det högsta. Hans studier liknar dem som samtidigt bedrevs av flera andra ynglingar inom den svenska högadeln. Studierna var av mycket hög kvalitet och omfattning särskilt vid en jämförelse med de båda efterföljarna på den svenska tronen. Karl Gustav, vars trontillträde bara var en eventualitet, fick den bästa utbildningen bland Karlarna, men å andra sidan blev hans regeringstid kort och krigsfylld. De civila kunskaperna fick han ringa

möjligheter att nyttiggöra och utveckla under sin kungagärning.

Karl XI

Natten mellan den 12 och 13 februari 1660 avled Karl X Gustav under pågående riksdag i Göteborg. Den fyraårige sonen Karl blev – en synnerligen omyndig – kung. De senaste veckorna före dödsfallet hade sonen ovanligt nog sett sin far, som annars fanns långt borta på fälttåg.

Karl X Gustavs föreskrifter om sonens uppfostran och studier i det testamente han skrev under sin sista kväll var kortfattade och allmänt formulerade. Det var angeläget, menade kungen, att "vår Herr Son med all trohet och flit må instituerat och opptuktat bliva i Guds rena och klara ord, såsom ock uti alla Konungsliga och Kristeliga dygder oppväxa och tilltaga". Men kungen hade redan utsett den tidigare Uppsalaprofessorn Edmund Figrelius, adlad Gripenhielm, till sonens lärare.

Valet av Gripenhielm som lärare åt Karl XI är ett uttryck för faderns stora ambitioner inför sonens kommande studier. Gripenhielm var en av vårt 1600-tals många betydande humanister. Han hade internationell utblick och omfattande språkkunskaper, sedan han hade varit preceptor åt en ung Gustav Banér under dennes europeiska bildningsresa 1645–1650. Han hade varit professor i historia vid universitetet i Uppsala, då han också hade skrivit Sveriges första konstvetenskapliga arbete, som handlar om romersk skulptur. Vid sidan av en senare ämbetsmannakarriär skrev han god latinpoesi och samlade ett stort bibliotek.

Under Gripenhielms tid som professor i Uppsala var bland hans elever den unge Erik Lindeman, senare adlad Lindschöld. I slutet av 50-talet utsåg Karl X Gustav dessa båda män till preceptorer för sina söner. Lindschöld blev lärare för den äldre, utomäktenskapelige sonen Gustav Karlsson och åtföljde denne under en nioårig europeisk studieresa. Gripenhielm utsågs

Karl XI. A Wuchters. Eriksberg, Sdml. Foto SPA.

till preceptor för Gustav Karlssons halvbror, den blivande Karl XI.

Också andra goda krafter engagerades för Karl XI:s studier. En storartad studieplan gjordes upp och den daterades den 24 november 1663. Den dagen fyllde kungen åtta år. Planen är formellt en instruktion för Gripenhielm och den är författad av den lärde diplomaten och dåvarande hovkanslern Mattias Biörenklou. Denne hade pedagogiska meriter redan från 1630-talet, då han var den unge Magnus Gabriel De la Gardies lärare.

Riktlinjer och idealbildning kring Karl XI:s studier och uppfostran framgår av den nämnda studieplanen och av instruktionen för guvernören, riksrådet Krister Horn. Guvernörsinstruktionen betonar särskilt uppfostrans moraliska kvaliteter. Dessutom finns Ehrenstrahls förhärligande av den unge kungens väg mot kunskap och dygd i utsmyckningen av Drottningholms paradsängkammare. Delvis kan den ståtliga studieplanen ha varit en vacker skylt, som stormakten Sverige ville visa upp inför Europa. Karl XI var kung i ett land, där enligt samtida götisk historiesyn kulturens vagga fordom hade stått.

Som inledningsvis redan har nämnts saknar Karl XI:s studieplan vår tids sätt att relatera nya moment i undervisningen till gradvis ökande ålder och mognad. Modernt klingar däremot uppmaningen till läraren att göra undervisningen lustfylld. Värdet av uppmuntran betonas.

Först och främst skall kungen genomgå en grundlig kurs i kristendomen i dess mest renläriga lutherskortodoxa form. Något annat hade varit kyrkopolitiskt omöjligt, även om det är känt att Biörenklou egentligen hade en annan uppfattning, som gick i synkretistisk, dvs ekumenisk riktning. Att lära sig läsa, tala och skriva latin med hjälp av de romerska auktorerna är en självklar del av språkundervisningen. Men kungen har också skyldighet att kunna språken inom den svenska stormakten. Moderns språk, tyskan, anses han kunna, men han bör även lära sig finska för att kunna ta emot

den gemena finska allmogens klagomål. Franskan är så allmän i Europa, att det anses lämpligt att kungen lär sig detta språk. Italienska, spanska, engelska och slaviska språk rekommenderas men anses inte nödvändiga. Historia och statsrätt måste läras men också geografi, astronomi, lantmäteri, arkitektur, krigskonst, medicin, måleri och skulptur. Om denna studieplan hade fullföljts, skulle Karl XI ha blivit en mycket välutbildad och allmänorienterad aristokrat. Så blev inte fallet.

Karl XI:s studieresultat blev svaga och hans bildningsnivå kom att stå under den gängse inom aristokratin. Tre orsaker har anförts: 1) Den unge kungen var sjuklig och kanske överbeskyddad av sin viljestarka moder Hedvig Eleonora; 2) Guvernören Krister Horn saknade bildningsintresse och var en för uppgiften oduglig person; 3) Kungen led av medfödd ordblindhet, dyslexi. De för utbildningen ansvariga torde ha saknat kunskap och pedagogisk erfarenhet av denna typ av läs- och skrivsvårigheter, som vetenskapligt beskrevs först på 1800-talet.

Kungens dåliga resultat väckte uppseende och diskuterades av råd och riksdag. Särskilt under 1668 års riksdag fördes upprörda diskussioner. Då nämndes olämpliga kamrater som ett skäl till oro. Lärarens och andra ansvarigas försvarspositioner och de inblandade politikernas inbördes intriger gör att källorna är mycket svårtolkade. Men det är tydligt, att de särskilda läs- och skrivsvårigheterna är en mycket viktig faktor. Vid en protokollförd inspektion av rådet i hans kungliga majestäts studerkammare 1665 – kungen var drygt nio år – beskrev Gripenhielm kungens koncentrationssvårigheter och hans benägenhet att kasta om bokstäver och stavelser. Redan i slutet av föregående år hade man konstaterat, att kungen läste dåligt i bok på svenska "utan tvivel för några andra tankar som han hade i huvudet". Den bibliska historien gick hyggligt – sannolikt gällde det utanläsning. Läsningen av latin gick trögt. Kungens svårigheter att läsa och skriva skulle följa honom livet ut och göra honom beroende av

Karl XI. D K Ehrenstrahl. Gripsholm. Konstnären har i tidens smak skrudat den unge kungen i romersk dräkt och låtit stolskarmarna ta formen av gyllene lejon som symbol för de förhoppningar Sveriges folk hyste. Foto SPA.

muntliga föredragningar och av självsyn under resor i landet.

År 1669 avgavs en rapport av Nils Brahe, som vid denna tid hade rådets uppdrag att tillsammans med Biörenklou kontrollera kungens studieresultat. Dessa var hyggliga, menade Brahe. Den nästan fjortonårige kungen hade läst bibeln på svenska och tyska flera gånger. Han kunde utantill de bibelord, som är grunden till trosartiklarna. Latinet kunde han delvis. I geografin hade han lärt sig landskaps och städers läge och namn. Brahes uttryckssätt var uppenbarligen avsiktligt vaga. Hans majestät hade gjort sig någorlunda bekant vad teologien, juridiken, medicinen och filosofien lär och innehåller.

Franskan förbigicks med tystnad. Trots att en skicklig speciallärare i detta språk anlitades – Kristoffer Gertner, som tidigare hade undervisat Magnus Gabriel De la Gardies söner – lärde sig kungen aldrig franska. En medlem av högadeln eller en kung, som vid denna tid inte kunde franska, var något mycket ovanligt och uppseendeväckande. Verklig studieentusiasm tycks den unge Karl XI bara ha visat inför jaktutbildningen och inför exercis- och militärövningar.

Gripenhielms pedagogiska ansträngningar fick av Brahe ett oreserverat erkännande. Ändå framgår det, att resultaten var fjärran från dem som skisserades i studieplanen. Den 8 juli 1670 skrev änkedrottningen under ett betänkande om kungens fortsatta "education". Här finns en tydlig oro för kungens utveckling. Hovceremonielet bör stramas åt kring kungen. Udden är riktad mot den alltför långt gångna familjaritet, som unga kavaljerer har visat. I stället rekommenderas lärorika samtal med herrarna i regeringen om kollegiernas angelägenheter. Snart upphörde kungens studier, redan innan han 1672 övertog regeringen. Men han kunde naturligtvis inte undgå att öka sin utbildning på andra sätt än genom rent bokliga studier. I hovmiljön – utanför studerkammaren – fick han en litterär, konstnärlig och musikalisk orientering i samband med talrika baletter, allegoriska tablåer och s k värdskap, som han såg eller själv deltog i. Sådana spektakel ingick t ex i firandet av hans födelsedagar. Dessutom vistades han under två korta perioder vid Uppsala universitet. Det första besöket gjordes när kungen var nio år sommaren 1665. Ett andra besök två år senare kan ha gett vissa resultat. Vid besöket 1665 förstod knappast hans majestät något av professorernas latinska hyllningar till honom. Eftervärlden har kommit ihåg detta uppehåll främst, därför att hans närvaro gav den yttre anledningen till uppförandet på Uppsala slott av Urban Hiärnes ungdomsdrama Rosimunda.

Karl XII

Planeringen av den blivande Karl XII:s studier liknade den som hade gjorts för fadern. Den utförligaste programskrivningen står i en instruktion 1690 för huvudläraren Andreas Norcopensis, adlad Nordenhielm. Planen hade på många sätt rötter i det förflutna. Den skrevs av prinsens guvernör Erik Lindschöld, som hade varit historieprofessorn Gripenhielms elev i 50-talets Uppsala och Karl XI:s halvbror Gustav Karlssons preceptor. Delvis är programmet en ordagrann avskrift av 1663 års instruktion för Karl XI:s lärare Gripenhielm. Ibland är enda skillnaden att dennes namn bytts ut mot Nordenhielms. Båda beröms t ex för förmågan att i pedagogiken förena nyttan med nöjet. Lovorden är nästan identiska.

Den stora skillnaden mellan Karl XII:s studier och hans faders ligger i genomförandet och resultaten. Prins Karl hade ett vaket intellekt och besvärades inte av faderns läs- och skrivsvårigheter.

Sina första år levde prins Karl i en kvinnovärld, som dominerades av modern Ulrika Eleonora d ä och farmodern änkedrottningen Hedvig Eleonora, av Karl kallad "Pappa-mamma". "Den 2 [januari] låg Prins Carel första gången uti sina rum och kom i manfolks händer." Så lyder den välkända dagboksanteckningen av Karl XI. Då hade kungen nyligen satt upp en första undervisningsplan för sonen, en plan som 1690 ersattes med Erik Lindschölds redan nämnda stora program.

Prinsens studieprogram var som man kan vänta mer omfattande än systrarnas. Hedvig Sofia och Ulrika

Blad ur Karl XI:s latinska skrivövningar efter lärarens förskrift mars–april 1662. Skoklosters slotts bibliotek.

Eleonora d y fick dock en god utbildning av en lärare, som hade hämtats ur drottningens kansli, holsteinaren Coelestin Friedrich Guthermuth. De hade också särskilda lärare i teckning och musik. Men skillnaden mellan Guthermuths lön, 700 riksdaler silvermynt om året, och Nordenhielms lön 3 000 riksdaler säger något om hur man såg på prinsess- respektive prinsstudier. I instruktionen för guvernören Lindschöld 1690 understryks vikten av att prinsen lär sig dygden Fortitudo,

Karl XII och Hedvig Sofia, sex respektive 5 år gamla. D K Ehrenstrahl 1687. Gripsholm. Foto SPA.

"i vårt modersmål manlighet eller manhaftighet". Prinsens inträde i ett manssamhälle kan illustreras av en anteckning den 1 mars 1689 i den av preceptorn och sjuåringen gemensamt skrivna arbetsboken: "en Karl måste aldrig gråta fast nöden wore aldrig så stor".

Liksom sin föregångare Gripenhielm var Anders Nordenhielm inte oerfaren vad gäller aristokratuppfostran. Han var en lärd latinprofessor i Uppsala, som i sin ungdom i 60-talets början hade varit preceptor för den blivande fältmarskalken Nils Bielke under dennes studier i Paris. Nordenhielm var fram till sin död 1694 prinsens huvudlärare. Undervisningens innehåll, metodik och effektivitet känner vi genom bevarade arbetsböcker. Latinet tycks lekas in och i skriftliga dialoger på svenska mellan lärare och elev övas argumentationsteknik samtidigt som kunskapsförrådet utökas. Inte sällan finns ett humoristiskt tonfall. Läraren låter ofta eleven vinna i diskussionerna, uppenbarligen inte för att vara underdånig utan för att uppmuntra prinsens ansträngningar. Heidenstams skildring i *Karolinerna* av Karl XII:s minnen av sin lärare ger förmodligen en riktig bild av deras förhållande: "... den hjärtans gode gamle Norcopensis, som han hade hållit av med barnslig hängivenhet. Han mindes vintermorgnarnas tidiga lästimmar, då han satt och räknade quatuor species och petade i veken med ljussaxen eller då Nordenhielm berättade om Roms och Greklands hjältar." Språkstudierna ledde fram till att Karl XII behärskade svenska, tyska och latin samt till att han förstod franska.

Kristendomsundervisningen sköttes av en särskild lärare. Detta var en nyhet i förhållande till organisationen av Karl XI:s studier. Uppdraget gick till en drivande kraft i det kyrkliga organisationsarbetet under Karl XI:s envälde, Erik Benzelius d ä, renlärig luthersk-ortodox teologiprofessor i Uppsala och vid denna tid biskop i Strängnäs.

Ytterligare några män bör nämnas i samband med prins Karls studier. Erik Lindschöld avled 1690 och efterträddes av en annan litterärt bildad och boksam-

Anders Nordenhielm, professor, 1633–94. D K Ehrenstrahl 1693. Karl XII:s huvudlärare. Gripsholm. Foto SPA.

lande man, dåvarande kanslirådet Nils Gyldenstolpe. En annan lärd kanslitjänsteman, Thomas Polus, blev kungens preceptor sedan Nordenhielm hade dött 1694. Från 1695 biträdde Gustaf Cronhielm i undervisningen. Cronhielm, senare känd som mannen bakom 1734 års lag, undervisade troligen i juridik och förvaltning. Bättre känd är prinsens militärteoretiska utbildning, som leddes av fortifikationsofficeren Karl Magnus Stuart.

Thomas Polus rapporterade 1697 att Karl vid sidan av de lärda studierna hade bedrivit "allehanda exercitier uti ridande, fäktande, dansande, jagande etc. så ock uti fortifikations- och artilleriväsende". Stuart var den som sedan 1689 hade lett den sistnämnda matematiska och militärteoretiska utbildningen och som därmed också hade varit prinsens ritlärare. Stuart var en god pedagog och väckte det intresse för matematik, som är känt från Karl XII:s vuxna liv. Undervisningen bestod från början i januari 1689, då prinsen var sju år, i att läraren ritade fästningar m m och eleven fyllde i linjerna. På titelbladet till den första övningsboken beskrivs metoden: Prins Karl har "allenast ritat de linjer som förut med ritkol eller blyerts utkastade varit av dess Kammarherre Stuart". I mars samma år började prinsen kopiera med blyerts på ett annat papper. Stuart gör anteckningar om de nästan dagliga övningarna. Han noterar till och med skälen till uteblivna övningar. Den första övningsmånaden – januari 1689 – firade prinsen t ex sin namnsdag på Karlberg den 28 och den 30 satt han modell inför Ehrenstrahl. Den 4 februari "red hans kungliga höghet och började sedan rita, men handen darrade mycket". Milda disciplinära åtgärder kunde förekomma. När eleven vid ett tillfälle 1691 hade slarvat och plumpat på en ritning, fick han skriva under en försäkran om bättring.

Stuart har efterlämnat en plan för undervisningen, som visar att avsikten inte var att utbilda prinsen till en fullärd fortifikationsofficer. Men han skulle lära sig ritkonsten och delar av geometrin för att kunna förstå och inför andra analysera en ritning. Han skulle kunna bedöma en ritning utifrån avsikten att försvara eller anfalla en fästning, kunskaper av stor relevans för Karl XII till hans sista stund.

En utförlig och fördjupad undersökning av de tre Karlarnas studier kommer säkerligen att förändra och nyansera den här skisserade bilden. Men huvudintrycken rubbas knappast. Karl X Gustav fick en utomordentlig skolning, där väl definierade och högt ställda

Den sjuårige Karls ifyllnad med bläck av en blyertsförlaga av Karl Magnus Stuart. Även rubriken har läraren först skrivit med blyerts. Krigsarkivet.

krav stod i nära överensstämmelse med de faktiska studierna och med de vunna resultaten. För Karl XI blev skillnaden mellan studieprogrammets mål och den pedagogiska verkligheten mycket stor. Samklangen förbättrades under Karl XII:s studier. Men naturligtvis hade Karl XII:s studietid varit för kort, när han femton och ett halvt år gammal blev envåldshärskare över den svenska stormakten.

REFERENSER

Allmänt

Ariès, Philippe	L'enfant et la vie familiale sous l'ancien régime, Paris 1973 (sv övers av Ingrid Krook 1982).
Bennich-Björkman, Bo	Författaren i ämbetet. Studier i funktion och organisation av författar-ämbeten vid svenska hovet och kansliet 1550–1850, Uppsala 1970 (om hovets läroämbeten s 139 ff).
Eichberg, Henning	Geometrie als barocke Verhaltensnorm. Fortifikation und Exercitien (i Zeitschrift für historische Forschung, Bd 4, 1977).
Gustafsson, Lars	Den litterate adelsmannen i den äldre stormaktstidens litteratur (i Lychnos 1959).
Jägerskiöld, Stig	Erik Lindeman-Lindschöld I (i Karolinska förbundets årsbok 1983).

Karl X Gustav

Feilitzen, Otto von	Utkast till en teckning af Carl X Gustafs uppfostran I–III (i Pedagogisk Tidskrift 1871–1872).
Olofsson, Sven Ingemar	Carl X Gustaf. Hertigen – tronföljaren, Stockholm 1961.
Rosengren, Hilding	Karl X Gustaf före tronbestigningen, Uppsala 1913.
Walde, Otto	Rosenhanarne som boksamlare (i Symbola litteraria, Uppsala 1927).

Karl XI

Ellenius, Allan	Karolinska bildidéer, Uppsala 1966. (Kap 3 om bildprogrammet i Drottningholms paradsängkammare.)
Geijer, Knut	Bidrag till historien om konung Carl XI:s uppfostran, Stockholm 1842.
Granström K. O. och Åberg, Alf	Kunglig ordblindhet – Karl XI:s läs- och skrivsvårigheter (i Svenska läkartidningen 1961 nr 13).
Meyer, Ernst	Från Carl XI:s studenttid, Tidningen Uppsala 1913.

Mattias Biörenklous instruktion 1663 för Karl XI:s preceptor Gripenhielm är citerad efter handskrift i Uppsala UB: N 871. Hedvig Eleonoras betänkande om kungens edukation 1670 i RA: Kungl arkiv.

Karl XII

Carlquist, Gunnar	Karl XII:s ungdom och första regeringsår (i Karl XII, utg av Samuel E. Bring, Stockholm 1918).
Carlson, Ernst (utg)	Konung Karl XII:s egenhändiga bref, Stockholm 1893.
Kuylenstierna, Oswald	Karl XII hans öden och hans personlighet, 2. uppl, Stockholm 1925.
Sjöstrand, Wilhelm	Generalkvartermästare C. M. Stuart och Karl XII:s militärteoretiska utbildning (i Tidskrift i fortifikation 1944).

Instruktionen 29/3 1690 för guvernören Erik Lindsköld (gällde från 3/10 1690 för Nils Gyldenstolpe) är citerad efter handskrift D 731, Lindschölds instruktion för Nordenhielm 1690 efter D 730, Nordenhielms och prins Karls arbetsbok (den s k Karl XII:s dagbok) efter D 761, alla tre handskrifterna i Kungl biblioteket. Stuarts och Karl XII:s arbetsböcker i fortifikation i Krigsarkivet.

1600-talscitatens stavning är moderniserad.

*Karl XII i blå uniform pekan-
de mot norskt fjällandskap.
Porträtt målat 1719 av J H
Wedekind. Gripsholm. Foto
Statens konstmuseer.*

28

*Den kungliga familjen.
Fr v Karl XI, Hedvig Ele-
onora, Karl XII, Maria
Eufrosyne, Hedvig Sofia
och Ulrika Eleonora d ä.
D K Ehrenstrahl o 1683.
Gripsholm. Foto Statens
konstmuseer.*

Den karolinska militärstaten

Fredens problem och krigets

Sven A Nilsson

Den följande studien knyter an till en tidigare, "Militärstaten i funktion", som behandlar den svenska militärstatens uppbyggnad under Gustav II Adolfs tid. Här gäller det perioden 1654–1700. Den börjar med rustningarna inför Karl X Gustavs krig och slutar med de som föregick Karl XII:s, två rustningsskeden som är varandra våldsamt olika. Mellan dem ligger ett militärt och politiskt systemskifte med vittgående samhälleliga konsekvenser.

Det gäller alltså krigens och krigsmaktens roll i den dåtida statens formering och i den förändring samhället genomgick. Samma frågeställning låg till grund för forskningsprojektet "Sociala och statsfinansiella problem i 1600-talets svenska samhälle" och har blivit allt mer aktuell. På internationellt plan är anknytningarna många, främst till den forskning som behandlat de nya nationalstaterna, antingen man lagt tyngdpunkten vid skattestatens eller maktstatens och byråkratins eller som här militärstatens växt med de konsekvenser detta får för samhället.

En sak till bör sägas. När man för 1600-talets del sökt foga in Sverige i de övergripande tolkningsmodellerna, har det nästan alltid vållat svårigheter; avvikelserna blir som regel många. Det gör inte en konfrontation av detta slag mindre angelägen.

I det följande behandlar jag först utvecklingen fram till systemskiftet 1680–82.

Krigen och deras betalning

Den krigsmakt Gustav Adolf byggt upp var inhemsk och försörjd med hemman och hemmansräntor. Till skillnad från bondeuppbåden i dåtidens Europa hade den kunnat sättas in i även reguljära fälttåg men drabbats av mycket stora förluster, större än det folkfattiga Sverige kunde bära. I tyska kriget gick Gustav Adolf också snart över till det allmäneuropeiska mönstret med värvade, oftast tyska fälttrupper.

Värvade trupper var emellertid väsentligt dyrare än inhemska, och de blev inte billigare genom systemet med storvärvare, som hade egen vinst att bevaka men fick vara beredda att skjuta till medel. En av de mera kända är generalen Hans Christoffer von Königsmarck, verksam under 1640- och 50-talen. Med de höga värvningskostnaderna kunde en armé inte gärna bli stående utan måste snarast sättas in i krig. Till dess fortsatta underhåll räknade man främst med fiendelandets – krigsskådeplatsens – tillgångar. Här skulle också vinsterna bärgas och skulder betalas. Tankar av detta slag finns med i alla diskussioner om de svenska krigsföretagen under 1600-talet.

Så inleddes också de tre kontinentala krigen, det tyska 1630, det polska 1655 och det nya tyska 1674. Expeditionskårens kärna var vid samtliga tillfällen inhemsk men smälte snabbt samman, varför arméerna i allt högre grad kom att bestå av värvade trupper. I de parallella krigen mot Danmark under 1640- och 50-talen var det likaså värvade trupper som satte in huvudstöten, medan de svenska användes mot Norge och Skåne och under 50-talet även mot Ryssland. I de danska krigen fick också flottan agera, uppbyggd under Gustav Adolf och förstärkt med omfattande nyanskaffningar; manskapet var här inhemskt.

1670-talets krig började på samma sätt med att svenska trupper fördes över till Tyskland, där värvningar ägt rum. På vanligt vis skulle sedan kriget föda sig själv. Men så blev det inte; armén fick retirera och gick till stor del förlorad. Nu grep även Danmark in och anföll 1676 från Norge och i Skåne. Här, i hemlandet, kom för första gången på länge den centrala krigsskådeplatsen att etableras; det var dess resurser man fick bygga på. Nya svenska trupper måste sättas in, och det skedde inte utan svårighet. Den inhemska armén var nerrostad; det äldre indelningsverket hade inte kunnat hållas uppe, förbanden var inte fulltaliga och bristfälligt övade. Också flottan var i dåligt skick och gick till stor del förlorad. Det var erfarenheter av detta slag som låg bakom det militära systemskiftet under 1680-talet.

Inom det system där jag hittills rört mig, var det dyrt att börja krig; man måste ut med stora summor till värvningarna. Också flottan kostade mycket i nyanskaffning och utrustning. Dessa stora engångsutgifter kunde aldrig klaras inom ramen för den svenska budgeten; det mesta lånades upp mot säkerhet i kommande inkomster, vanligen av tullar och koppar. Till det kom vad man kunde skrapa ihop av skattemedel och bidrag från provinserna. Långivarna var till en början mest enskilda, sådana som Louis De Geer, som fick bidra till både tyska kriget och det danska 1643–45. Under 1650- och 70-talen dominerar en annan kategori, kronans finansämbetsmän som gav stora lån – 1655 ej mindre än 1 300 000 daler – mot säkerhet i medel som de själva förvaltade. 1655 främst generaltullförvaltaren Mårten Augustinsson Leijonsköld och kammarrådet Gustav Bonde och 1674–75 generaltullförvaltaren Joel Gripenstierna och subsidieförvaltaren Johan Adlercrona och bakom dessa hela konsortier. Vid det senare tillfället kunde också lån upptas i den nygrundade Riksbanken. Förhållandena har inom 1600-talsprojektet undersökts av Hans Landberg och Berndt Fredriksson.

Till krigföringen har som väntat krigsskådeplatsen fått lämna mycket stora bidrag genom underhåll, kontributioner, konfiskationer och brandskatter. Men dessa inkomster har aldrig räckt till utan man har ständigt måst tillföra medel utifrån, främst subsidier och svenska tull- och kopparinkomster. Svenska skattemedel har endast i begränsad utsträckning gått till krigen på kontinenten men tagits i anspråk för gränskrigen mot Danmark och Ryssland. På samma sätt under 1670-talet, då de krigsdrabbade landskapen också fick svara för arméernas direkta underhåll. Även flottan, som agerade under samtliga svensk–danska krig, kostade mycket stora summor som likaledes togs ut i hemlandet.

Till detta kommer ytterligare något och det för krigen mest väsentliga, nämligen krediterna, alla de lån och förskott som måst till för att systemet skulle fungera. Man lånade på alla någorlunda regelbundna inkomster, subsidier, tullar, kopparinkomster, kontributioner m fl, som nästan alltid blev överintecknade. Resultatet blev kvarstående fordringar som i ökande grad sköts på framtiden.

Kreditgivarna var många och en lista på dem skulle kunna göras lång. De främsta var centralt placerade, i stort sett samma personer som täckte mobiliseringskostnaderna. Till de redan nämnda kan läggas de övriga finansmän som hade kopparaffärerna om hand, några med placering i Holland. Viktiga var också de svenska agenterna i olika financentra, av vilka man förutsatte att de med egna resurser och egen kredit skulle kunna skaffa lån. Ett tidigt exempel är Johan Adler Salvius, som från Hamburg spelade en stor roll under 30-åriga kriget. Samma uppgift hade hans svärson Vincent Möller under 1650-talet, också han i Hamburg. En annan viktig kategori var de köpmän och faktorer som följde arméerna eller från närbelägna städer försedde dem med vad de behövde. En sådan är Melkior Degingk som var Lennart Torstenssons främste kreditgivare och leverantör och låg ute med stora lån till kronan. Sina pengar fick han vänta på, men han blev svensk adelsman under namnet von Schlangenfeldt och småningom friherre. Samma typ av kreditgivare och leverantör möter vi i alla större svenska städer. En av dem är Hans Verklaess i Kalmar, som även han adlades, under det välvalda namnet Silfverlååss. Andra, något oväntade exempel kan anföras från de forna danska städerna, i Halmstad Fredrik Albrektsen Machum med fordringar på både den danska och den svenska kronan och i Malmö Henning Olsen, leverantör och kreditgivare under skånska kriget och adlad Anckargrip.

Det fanns också fordringar av annat slag, på obetalda löner. Trupperna fick ofta gå på inknappningsstat, vilket ledde till hopade fordringar och för officerarnas del även till ökade krav på de belöningar, "recompens", som ingick i systemet och för officerarna var väl så viktiga som lönen. I det värvade kriget låg i sådana fall myteriet nära. En kris av det slaget är den av Roland Nordlund behandlade vid de svenska arméerna i Sydtyskland 1633. Den löstes av storskattmästaren von Brandenstein som förskotterade millionbelopp mot avtal om stora domäner, som han dock aldrig fick tillträda. Affärerna med svenska kronan blev också hans ruin på samma sätt som hans samtida, Hans de Witte, ruinerade sig på Wallenstein.

För en ekonomi av detta slag kom problemen med freden, och de var aktuella vid alla 1600-talets fredsslut. Det fanns nu inte längre någon krigsskådeplats att vältra över kostnaderna på. Men lån och fordringar att betala och officerare och trupper att tillfredsställa. Gjorde man inte det kunde man inte fortsätta på vare sig löne- eller värvningsmarknaden. Detta demobiliseringens problem är välkänt. Men man tycks inte ha realiserat alla dess konsekvenser.

De kan belysas med utgångspunkt från westfaliska freden 1648, där Sverige fick 5 millioner riksdaler till truppernas satisfaktion. De fick också ansenliga belopp, likaså fordringsägare och högre militärer och ämbetsmän. Den stora summan till trots räckte dock inte medlen särskilt långt, varför kvarstående anspråk måste tillfredsställas inom svenska riket. Det var m a o dyrt att sluta ett krig, mycket dyrare än att börja.

Detta får i sin tur konsekvenser för frågan om kostnadernas fördelning på krigsskådeplatsen och på bidragen utifrån, däribland hemlandet. I litteraturen har man utgått från att krigsskådeplatsen svarade för den helt dominerande delen. Man förbiser då den mycket stora del av kostnaderna som togs ut i efterhand, i hemlandet.

Denna kostnadernas eftersläpning inverkar även på de beräkningar som gjorts över krigsutgifterna. Man har då utgått från beräknade årskostnader för arméer av en viss storlek eller också genom olika redovisningar sökt fastställa vad som gått till kriget. Felkällan är även här de fordringar av skilda slag som alltid fanns och alltid släpade efter och till stora delar betaltes först efter kriget – om de betaltes.

Demobilisering och godsavsöndringar
Demobiliseringens kostnader kom att hårt belasta den svenska statsekonomin. 1648 hade man ändå satisfaktionsmedel att disponera, 1660 gods i Skåne men 1679 inga tillgångar alls av detta slag. Till skillnad från tidigare hade man då inte heller några erövrade provinser att exploatera.

I kostnaderna ingick alla från krigen kvarstående skulder. Några gjorde man sig av med genom att inte erkänna dem, så som skedde med Brandensteins fordringar. De mesta måste man dock börja betala. 1648 hade man satisfaktionsmedlen, som gick till bl a Salvius och Degingk. Men de fick inte allt sitt; resten togs ut i Sverige under 1650-talet. På samma sätt med Louis De Geer, som först i efterhand fick sin betalning i Sverige. Långivarna från 1655 fick det mesta under senare 1650-talet, då emellertid nya fordringsägare kom till som måste betalas under tiden därefter. Medlen togs ur svenska kassor i form av gods, förpantade eller till en början även sålda, genom s k frälseköp.

Detta fram till 1670-talet. Efter frederna 1679 valde man en delvis annan metod; jag återkommer till den.

Det fanns också fordringar av annat slag, för obetalda löner och uteblivna belöningar. Därtill krav på ersättning för gods som donerats i erövrade områden men sedan gått förlorade. Även för dessa ändamål fanns bara svenska riket och dess tillgångar att utnyttja. Man gjorde det i form av ärftliga godsdonationer. De fick i Sverige en väldig omfattning med huvuddelen under tiden före den karolinska epoken, för vilken de icke desto mindre fick genomgripande konsekvenser.

På ett mera allmänt plan har man alltid utgått från att dessa donationer hör samman med krigen. Sam Clason, den ende som undersökt saken, konstaterar sambandet men också vad han på sitt moraliserande sätt finner vara ett orimligt slöseri från Kristinas sida, en uppfattning som möter även senare. En analys av registren över donationer och satisfaktionsmedel visar dock att det är fråga om ett system, ett sätt att betala krigen och samtidigt binda adeln till staten.

Bland mottagarna finns en grupp med mycket stora donationer och stora belopp i satisfaktion, nämligen riksråd och högre officerare och ämbetsmän. De lägre officerarna fick väsentligt mindre, vid förbanden i Tyskland satisfaktionsmedel och i hemlandet donationer, en del bådadera. Till bilden hör att provinserna utnyttjades till bristningsgränsen. De baltiska hade redan Gustav Adolf fyllt med svensk rådsadel och militärer, nu kom turen till Pommern, Bremen-Verden och Halland. Man iakttar också en strävan att binda utländska militärer och fordringsägare med svenska gods och adelstitlar, exemplen kan göras många.

I systemet ingår uppfattningen att tjänst meriterade till en erkänsla av detta slag, en erkänsla som för högre befattningshavare var viktigare än lönen. Det finns också en uppfattning om donationsmottagarnas skyldigheter. Man möter den under en rådsdiskussion 1634 om en beskickning till Ryssland. Den utsedde, Henrik Fleming, fann traktamentet för lågt, vilket väckte stark irritation, eftersom han "så store beneficia som någon annan av sal K M:t haver bekommet och fördenskuld, såsom ock eljest efter sin skyldige plikt,

inte borde sig att undandraga".

Donationerna och frälseköpen innebar en väldig ökning av adelns domäner. Deras omfattning kan uttryckas i den andel av rikets mantal som hörde under adeln 1654, när godsavsöndringarna nått sin höjdpunkt. Siffrorna gäller Sverige och Finland inom deras gamla gränser med Jämtland och Härjedalen.

Tabell 1. Mantalet i Sverige och Finland 1654

	Frälsemantal	Totalmantal
Sverige	39.632	60.750
Finland	14.323	24.539
Summa	53.955	85.289

Källa: S A Nilsson, På väg mot reduktionen, s 29f, 88.

Donationerna från Kristinas sista år har inte alla kommit med. Frälsemantalet kan därför räknas upp till cirka ⅔ av det hela. Adelns gamla frälsegods är här bara en mindre del; det mesta är nyförvärv och ej mindre än hälften av frälsemantalet från tiden efter 1632. Denna väldiga ökning är en både förutsättning för och följd av krigspolitiken.

Karl Gustavs trontillträde följdes nära nog omedelbart av en godsreduktion, den s k fjärdepartsräfsten. Stellan Dahlgren, som undersökt den, visar att kungen sedan var återhållsam med nya donationer och i stället ofta lät sin erkänsla ta formen av reduktionseftergifter. Det förekom inte heller några nya godsförsäljningar, däremot förpantningar för att få medel till krigen. I provinserna var han mera frikostig, inte minst i det nu erövrade Skåne, där han tog danska adelsgods i beslag och överlät dem på svensk adel. Också i Preussen och Polen tillgodosågs behovet av krigsbelöningar.

Med kungens död och frederna 1660 var man tillbaka i fredens problem. I ledningen stod nu en högadlig förmyndarregering, som mötte opposition från de ofrälse och delar av adeln. Oppositionen ville föra reduktionen vidare och var betänksam mot nya donationer. Inställningen kom till uttryck i 1660 års additamente, där man också ville reservera godsen i provinserna till militära ändamål.

Mot detta stod de nya kraven på belöningar, som även gällde ersättning för det som gått förlorat i Polen och Preussen och i Skåne, där de danska adelsgodsen måst återställas. Man hade visserligen fått andra skånska gods i vederlag för Bornholm. Men de var avsedda för militära ändamål. Dilemmat var svårlöst och förmyndarnas donationspolitik blev vacklande. Man kunde inte gärna undgå att tillgodose anspråken från kriget men fick ofta göra det i andra former, som ärftliga förpantningar eller förläningar på lön. Riksamiralen Carl Gustaf Wrangel fick sålunda pantgods i Skåne, där också andra högadliga tillgodosågs. Lägre militärer och ämbetsmän fick som tidigare betydligt mindre.

Behovet av dessa belöningar erkändes även i additamentet, där man sade sig inte vilja förbjuda regeringen att "beneficera väl förtjänte män och tjänare". Men resurserna hade börjat svikta. Och så var i än högre grad fallet, när nästa krigsperiod tog slut och en ny generation militärer ville ha sitt.

Det statsfinansiella problemet och dess lösningar
Det statsfinansiella problemet var vid denna tid i Sverige som på andra håll ett problem om krigets finansiering. Det för Sverige utmärkande är – möjligen – diskrepansen mellan resurserna och den mycket tunga militära sektorn i form av en ansenlig flotta, en stor inhemsk armé och tidvis mycket stora värvade trupper. Trots intentionerna kom kostnaderna att i hög grad drabba det svenska hemlandet, inte minst när krigets fordringar och skulder skulle betalas. Till dem hörde de belöningar som i Sverige tog formen av mycket stora godsavsöndringar. Möjligen är det här vi skall se det specifikt svenska. Inte så att resultatet, den adliga godsdominansen, skulle avvika från det europeiska mönstret. Men detta att adeln tagit över större delen av rikets hemman kom att bestämma både reaktionerna mot och utformningen av finanspolitiken.

De som opponerade var främst de ofrälse, präster, borgare och bönder, alla med representation vid riksdagarna. Alltifrån 1640-talet gick de till hårda angrepp mot adeln, som kulminerade i den s k protestationen vid 1650 års riksdag. Enligt denna borde kronan ta sina gods tillbaka och leva av deras räntor i stället för av de bevillningar som hårt tryckte de ofrälse, desto mer som adeln tog ut dem från sina egna bönder. Man anklagade också adeln för att pressa ut för mycket från bönderna och för att driva skattefrälsebönderna från sina gårdar. Anklagelserna har länge genljudit i den historiska litteraturen och gör så ännu.

I vagare form möter man dem redan vid 1634 års riksdag och även försiktiga reduktionskrav. Intressant nog begär bönderna då också att bli förskonade från nya och ovanliga pålagor, men vill gärna göra "vad de mäkta och sådane utlagor som fordom vanlige have varit". Men detta är ännu inte kopplat till adelns försyndelser; den underliggande kritiken gäller Gustav Adolfs hårda extraskatter. Idealtillståndet med enbart domänräntor ligger än längre tillbaka.

Året efter protestationens framläggande ironiserade Axel Oxenstierna över de ofrälses tro att kronan skulle kunna leva av godsen "och de sedan få sitta i Guds kålgård". Flera år senare sekunderade Per Brahe med att man inte längre kunde hushålla "som då konungen satt på Håtuna". Det rådsaristokratiska programmet var ett annat: kronan skulle inte befatta sig med jordräntorna utan grunda sin ekonomi på tullar och indirekta skatter och överhuvud på handelns avkastning. Att lämna godsen till adeln var snarast en fördel; de skulle skötas bättre och välståndet öka.

Det var mest rådsaristokratin som förde politiken. För krigen och skuldernas betalning har man måst använda de inkomster man fäste störst vikt vid, tullar, kopparräntor och andra indirekta skatter. Detta samtidigt som godsavsöndringarna minskade hemmansräntorna. Resultatet blev en ökande brist även i hemlandets budget, en brist som måste fyllas genom antecipationer och tillgrepp av för krigen avsedda medel. Till bilden hör också lönereduktioner; det blev till sist ovanligt att löner betaltes till fulla belopp.

I dessa svårigheter fick man söka sig fram på delvis nya vägar. En av dem var den som de ofrälse anvisade, en reduktion. Den aktualiserades varje gång de under senare 1600-talet ställdes inför nya anslagskrav. 1655 genomdrevs en begränsad sådan, av omistande gods avsedda för nödvändiga ändamål, men också av ¼ av alla efter 1632 donerade gods. Räntan av dessa skulle fylla bristen i den ordinarie staten, och i avvaktan på att godsen kunde bli tillgängliga skulle donatarierna betala motsvarande belopp. I fortsättningen var det till dessa 1655 års beslut man hänvisade och då ville utsträcka så långt möjligt, bl a till provinserna där reduktionsvännerna ville dra in det mesta som omistande gods.

Som följd härav visade det sig nära nog omöjligt att pålägga de ofrälse stånden nya skatter. Det blev i stället adeln och frälsebönderna som fick betala. Bönderna genom att frälseprivilegierna i flera hänseenden sattes ur spel, även de vidsträckta privilegier som gällde för gårdarna närmast sätesgårdarna. På samma sätt med utskrivningsfriheten som inte heller den kunde upprätthållas. För adeln betydde detta minskade möjligheter att ta ut egna pålagor av frälsebönderna. Olycksbådande var också de ofrälses attacker mot privilegierna, som enligt dem inte gällde det nya skiktet skatter; de tillhörde kronan ensam.

Ej nog härmed fick adeln även ge avkall på sin personliga skattefrihet, som var frälsets egentliga kärna. Gång efter annan blev den tvungen att åta sig stora kontributioner, uttaxerade i förhållande till godsinnehavet. Här fanns ett alternativ till reduktion, men ett alternativ som lika väl som privilegieinskränkningarna måste splittra adeln. Det drabbade nämligen alla frälsegods, medan en reduktion bara kunde gälla donationerna. Och de var främst i händerna på de högadliga familjerna. Motsättningen kommer klart till uttryck i ett inlägg av Maurits Posse vid 1678 års riksdag: "Det vore väl", sade han, "att vi funne på de

utvägar, vi en gång kunde slippa contribution, och privilegierne kunde bliva orubbade. Mången sitter och haver kronans gods och räntor borta; så länge de äre från Kongl Maj:t kunna vi intet göra oss hopp att slippa contribution, ej heller att säkert få behålla privilegierne".

Maktstruktur och kontrollapparat

Det föregående har gällt militärstaten i funktion inom olika sektorer under tiden före 1680. De förändringar som skett har ställts i relation till militärorganisationen och dess krav, också, ehuru mera i förbigående till maktstrukturen.

Gustav Adolfstidens statsmakt utvecklades inom ett maktdelningssytem, där kungamakten snart blev helt dominerande och behärskade den växande byråkratin och det för systemet viktiga prästerskapet, som hade att förkunna lydnad för statsmakten och fungera som organ för kontroll och folkbokföring. En stor roll spelade också kungens person, hans förmåga att leda både råd och ständer.

Efter hans död får vi en återgång till det äldre systemet med rådet i en central position och med två perioder av högaristokratiska förmyndarregeringar, 1632–44 och 1660–72. Båda hade de att balansera oppositionella adelsgrupper och en allt mer sammansvetsad ofrälse opposition. Svårast var läget för den senare regeringen, vars ledning var oenhetlig. 1660 års additamente gav dessutom vidgade befogenheter åt både rådet och riksdagen och därmed bättre möjligheter för oppositionen att föra fram sina meningar. Särskilt betydelsefull var nu riddarhusoppositionen, sammansatt av en konstitutionell grupp med försänkningar i rådet, av lågadliga grupper och av en grupp yngre militärer, som tidigt samlades kring den unge kungen. Alla förenades de i opposition mot den härskande högadeln och dess finanspolitik. Jag har nyss citerat ett agitatoriskt inlägg från 1678 års riksdag. Samma tema togs upp redan 1664 av Johan Gyllenstierna. "Det vore illa", sade han, "om vi för 10 eller 12 personers skull, som hava fått donationerna, skulle vara nya contributioner underkastade''.

Det är något av ett problem att även denna senare, inom sig splittrade förmyndarregering så länge kunde hävda sin ställning. En väsentlig del av förklaringen ligger i det sätt på vilket Axel Oxenstierna inordnat ämbetsmännen i systemet. I regeringsformen 1634 och dess följdförfattning, 1635 års landshövdingeinstruktion, skapade han ett nytt maktsystem, där en toppenstyrd byråkrati dominerar även de representativa organen och där den regionala förvaltningen hårt bindes vid riksämbetsmännen och ålägges en rad övervakande funktioner. Betecknande nog började man samtidigt låta de blivande ämbetsmännen auskultera i ämbetsverken; David Gaunt har undersökt systemet. Det säger sig själv att denna inskolning också har inneburit en disciplinering. Den gjorde visst inte alltid ämbetsmännen till anhängare av den aristokratiska regimen. Men väl till statens och statsmaktens tjänare.

Detta Axel Oxenstiernas system har satt spår långt fram i tiden. Det har inte till alla delar kunnat genomföras, därtill var motståndet för starkt. Men det har spelat en stor roll för att stabilisera regimen och hålla oppositionen tillbaka, en opposition som tidigt visade tendenser att rikta sig även mot adeln som stånd och därigenom blev än svårare att hantera. Särskilt landshövdingarna var här av stor betydelse, både vid riksdagarna där de fungerade som övertalare av allmogen och på det lokala planet där de hade att kontrollera riksdagsvalen och de ofrälses besvärsinlagor. Samma övervakande uppgifter hade biskopar och präster.

Men kontrollsystemet hade sin begränsning, det måste redan Axel Oxenstierna konstatera. Åtskilliga gånger anklagade han prästerna för att upphetsa allmogen med sina predikningar. Vid ett tillfälle vände han sig också mot lagläsarna för att dc hjälpt allmogen sätta upp ''sine oskälige postulater'' i stället för att ''demonstrera dem vad orätt är och vad kronan tåla och lida kan''. På samma sätt i fortsättningen, då präster och lägre ämbetsmän ofta samverkade med bönderna. Även vid tingen, där lagläsare och nämndemän inte så sällan tillgodosåg böndernas intressen i tvister mellan dem och adeln.

I stort sett lyckades dock båda förmyndarregeringarna styra sina ämbetsmän, som de i egenskap av kollegiechefer var överordnade. Normalt kunde de även bemästra den ofrälse oppositionen vid riksdagarna, till priset dock av en återhållsam bevillningspolitik. Ömtåliga var också frågor som berörde kungamakten, där de ofrälses inställning alltid var rojalistisk, antingen det gällde kungaförsäkringar eller som 1660 ett kungligt testamente.

Under perioderna av kunglig regering var konstellationerna andra. Både Kristina och Karl Gustav kunde räkna med de ofrälses stöd i sin strävan att stärka kungamakten, Karl Gustav också i sina planer på reduktion och privilegieinskränkningar. Som monarker har de i regel kunnat lita till byråkratin, även om råd och kollegiechefer ibland komplicerade ledningsvägarna. Prästerna har omedelbart inordnat sig under kungamakten och följt signalerna även när Kristina sökte avstyra deras politiska predikningar, sedan hon väl nått sitt mål i tronföljdsfrågan. Oppositionen kom under denna tid från rådskretsarna och i ståndsfrågor också från delar av adeln.

Till bilden hör att både Kristina och Karl Gustav gärna samverkade med den lågadliga sekreterargruppen. Något systemskifte är det dock ännu ej fråga om; rådet finns kvar som regeringsorgan och under Karl Gustavs krigsår även som hemmaregering.

Samma något osäkra maktbalans präglar Karl XI:s första regeringstid med råd och riksämbetsmän kvar i sina visserligen vacklande positioner. Förändringen kommer när kungen efter de militära katastroferna 1676 beger sig ner till Skåne, där han snart samlar makten i sitt högkvartér. I sin omgivning hade han den grupp militärer som samlats kring honom och en del lågadliga ämbetsmän. Han hade också kallat till sig den främste oppositionsmannen inom rådet, Johan Gyllenstierna.

Samhällets grupper

Krigen och krigsmaktens krav har fått konsekvenser även för det svenska ståndssamhället, som jag här endast kan kort beröra.

En av dem är framväxten av den grupp företagare, finansmän och storköpmän, som drev bruken och krigsindustrin och även kopparhandeln och storhandeln överhuvud. Det är här vi har krigens leverantörer och finansiärer. För storköpmännen fanns ännu en viktig inkomstkälla; de tillgodosåg tidens enorma status- och lyxkonsumtion, som Margareta Revera behandlar i ett annat bidrag. Många var av utländskt ursprung och hade vidsträckta affärskontakter. Alla var på olika sätt, även kreditmässigt, bundna till den internationella handelsvärlden och kunde därigenom förmedla det nödvändiga driftskapitalet.

Gruppens medlemmar låter sig endast med svårighet infoga i det svenska ståndssamhället, några stod helt utanför. Bäst karakteriseras den som en storborgarklass med intressen som skilde storköpmän från städernas borgare och adlade finansiärer från adeln i övrigt. En reduktion kunde sålunda vara positiv för bruksägare och även i övrigt gynnsam om den stärkte kronans betalningsförmåga. Men klart ogynnsam om den försämrade adelns möjligheter att betala sina skulder.

Mest diskuterade har de förändringar varit som gäller adeln och bönderna och framstått som resultat av godsavsöndringarna. Diskussionen har länge förts under intryck av ståndsstridens många beskyllningar mot adeln. Bortsett från historiska romaner talar man visserligen inte längre om 1600-talsadeln som en samling kvalificerade bondeplågare. Men kvar står föreställningen om ett adelns hot mot bondefriheten, särskilt vad skattefrälsebönderna beträffar, de som med bibehållen äganderätt till sina gårdar kommit under adeln. På historiematerialistiskt håll talar man också om en refeodalisering och om "det utomekonomiska tvånget"; bönderna skulle under tiden före reduktionen ha måst erlägga sitt överskott till feodalherrarna.

De undersökningar som gjorts inom 1600-talsprojektet av Kurt Ågren, Margareta Revera och Eibert Ernby visar att frälsebönderna inte haft dåliga villkor jämfört med kronans bönder och att skattefrälsets särställning respekterats. Adelns återhållsamhet har sin bakgrund i de ofrälses starka position alltifrån 1600-talets mitt; att bördan skulle ha vältrats över på dem är en propagandakliché från ståndsstriden. Det var i stället adeln och dess bönder, som fick betala, bönderna genom att privilegierna ofta sattes ur spel. Deras ställning har förändrats även på annat sätt.

Alltifrån senare 1500-talet börjar man av krigsfinansiella skäl taxera upp kronobönderna, som fick betala lika med skattebönder i alla extraskatter mot tidigare endast hälften. Detta trots att de stående pålagorna var lägre för skattebönder än för krono- och övriga landbor. Här följde sedan adeln efter och tog ut detsamma av sina bönder. Som följd härav kom under 1600-talet alla landbor i sämre läge än skatte- och skattefrälsebönder, trots att de hade de mindre gårdarna. Genom godsavsöndringarna hade de nästan alla kommit under adeln; deras marginal kan inte ha varit stor. Som en gynnad övergrupp framstår i stället de enligt samtida propagandaskrifter och senare litteratur så hårt pressade skatte- och skattefrälsebönderna.

Adeln själv kan grupperas på olika sätt, i svensk och utländsk, gammal och ny, hög- och lågadel, militär- och ämbetsadel. Att sätta godsägaradel mot tjänsteadel är inte särskilt meningsfullt; de flesta hade tjänst i någon form. Med utgångspunkt från de intressen som fanns, skulle jag här vilja utgå från två huvudgrupper. En bestående av den godsrika, betitlade högadeln, vars medlemmar kunde räkna med de främsta civila och militära tjänsterna. Det var också de som fått de mesta donationerna. En annan av alla de ämbetsmän, militärer och lantadel, som inte hade särskilt stora gods och inte fått några större donationer. Dessa senare hade inte svårt att acceptera en reduktion, om man genom en sådan kunde undgå fortsatt frälsebeskattning och dessutom få utrymme för nya donationer.

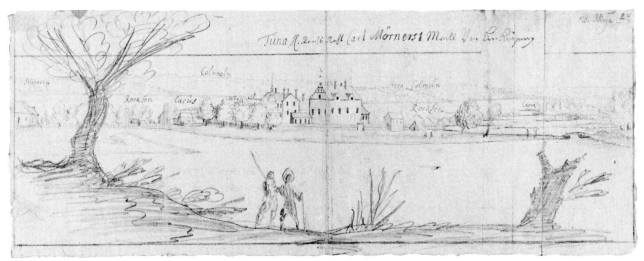

Det Mörnerska herresätet Tuna blir efter reduktionen översteboställe för Östgöta ryttare. Östergötland. Skiss av Erik Dahlbergh. Kungl Biblioteket. Foto Kungl Biblioteket.

Mera komplicerat blir läget om man även tar hänsyn till lönerna. Lönereduktionerna var ett svårt avbräck för den lägre tjänsteadeln, så mycket mera som godsinkomsterna minskat genom den allt hårdare beskattningen. Men också rikets högsta adel drabbades. De hade mycket höga nominella löner; föll dessa bort eller skars ner, kunde som Ågren visat lägen uppstå, då man inte behövde förlora på en reduktion, om nämligen kronan genom en sådan fick möjlighet att betala fulla löner.

Det är emellertid också en fråga om hur högadeln ekonomiserade sina gods. Man skulle ha trott att den väldiga ökningen av sätesgårdar inneburit en övergång till egendrift i stället för det äldre systemet med nästan enbart landbodrift. Så var det dock inte. Tvärtom visar Margareta Revera att adeln ofta överlåter sätesgårdar till bönder i hälftenbruk och – liksom Anders Kullberg – att flera storgodsägare föredrar att uppbära

böndernas utlagor i pengar i stället för i natura. Priserna var inte heller gynnsamma för egen avsaluproduktion.

Det man satsar på är status i form av lyx och dyrbara slottsbyggen. På dem har väldigt mycket investerats. Inte minst av Magnus Gabriel De la Gardie, tidens störste byggherre. Det var investeringar han förlyfte sig på och han var inte ensam om det. I Sverige kommer adelns och slottsbyggenas tid fel; den kommer när priserna går ner eller står stilla. Det är då man bygger alla de slott som nu står som monument över en undergrävd adelsekonomi.

Det är mot denna bakgrund inte svårt att se paralleller till de grupperingar i andra länder som dragits in i debatten om 1600-talets kris. Även i Sverige har vi en högadel vars ställning börjar svikta. Andra grupper är på väg upp, den ofrälse eller lågadliga byråkratin och

Kaptensbostället Jordstorp (Jönköpings regemente). Foto Krigsarkivet.

de grupper ur präste- och borgarstånd som framträdde som de ofrälses ledare. Vi har också den nya storborgarklassen, engagerad i handel, bergsbruk och krigsindustri och i affärer med kronan. Alla kunde de se sin väg stängd av den dominerande högadeln.

Parallellerna finns således. Men också påtagliga skillnader, som gör det komplicerat att foga in den svenska utvecklingen i gängse tolkningsmodeller. En skillnad är de svenska böndernas starka ställning, som för de självägande snarast stärkts under den s k feodala aeran. En annan den tunga militära sektorn och den roll de militära kraven har spelat för resursöverföringen till adeln. En tredje slutligen är den fasta kontrollapparaten med vars stöd även rådsregeringar kunde hålla statsmakten uppe.

Det var dessa faktorer som bestämde också kunga-maktens agerande. Kristinas och Karl Gustavs regeringar hade visat att de ofrälse snabbt inordnade sig under den regerande monarken, och statsapparaten stod i regel till hans förfogande. Problemet var adeln. Dess ställning till kungamakten har länge diskuterats; jag återvänder till det. Här skall endast konstateras att motsättningarna under tiden före reduktionen och enväldet mera gällt gods och privilegier än frågor om makt och inflytande.

Systemskiftet 1680–82. Demobilisering och militärorganisation

Om riksdagarna 1680 och 1682 och de beslut som ledde till envälde, reduktion och räfster finns en nära nog oändlig litteratur, både om beslutsprocessen och om förändringarnas innebörd och följder för det senare samhället. Jerker Rosén och Göran Rystad har klarlagt beslutens tillkomst och bakgrund och Rystad dessutom stadierna i rådets successiva degradering fram till dess kapitulation vid riksdagen 1680. Det envälde som sedan etablerades hade formellt karaktären av lagförklaringar, där ständerna bejakade den kungliga maktexpansionen. Till den och enväldet återvänder jag i ett senare avsnitt.

Pådrivande faktorer var än en gång de militära kraven. Efter det krig som nyss avslutats stod en ny generation kreditgivare och militärer redo med sina fordringar. Det fanns inte mycket att tillfredsställa dem med; resurserna i gods och domänräntor hade gått åt för att reglera kraven efter tidigare krig. Än mindre fanns medel till det militära reformarbete som planerades. Flottan måste byggas upp på nytt och armén reorganiseras; kriget hade blottlagt svagheterna i det tidigare systemet. Ute i Europa var man nu i färd med att etablera stående arméer med huvuddelen värvad eller tvångsrekryterad och förstärkningsmanskap uttaget genom någon form av uppbåd. Detta system var i rustningsskedet långt billigare än det gamla med dess våldsamt stora värvningskostnader. Men sen fanns trupperna där och måste underhållas, i fred som krig.

I Sverige visar statförslagen före 1680 att man då aktualiserat alla de militära utgiftsbehoven, men också att de omöjligen kunde rymmas inom den existerande budgeten. I tidigare lägen av finansiella svårigheter hade alternativen varit reduktion eller kontribution. För en reduktion talade det existerande, om än bristfälliga indelningsverket, som delvis försörjde den inhemska armén och flottan. Skulle det byggas ut förutsatte detta en omfattande reduktion. I Skåne hade man redan inlett en sådan för att där etablera kavalleri. Man kunde emellertid också tillgripa nya skatter och då ta ut mer även av adeln och dess gods eller – som i Brandenburg – på dessa lägga över en del av den militära bördan.

Taktiken inför riksdagen 1680 var utstuderad. Den kungliga propositionen talade allmänt om behovet av anslag till flottan, armén och skulderna och om medel till löner och nödvändiga utgifter. På riddarhuset fick en av kungens män, Hans Wachtmeister, igenom ett förslag om räfst med förmyndarna, vilket skulle ge medel. När sedan de ofrälse föreslog en ny reduktion och detta väckte protester hos adeln, kom han själv med ett reduktionsförslag, som innebar att alla större donationer skulle dras in. Det drabbade en numera ganska isolerad högadelsgrupp och drevs igenom under en våldsam attack mot dem som "hade rikets gods inne", en attack där man än en gång avvisade alternativet kontributioner.

Sedan väl detta genomförts, kom nästa akt med en ny proposition om medel till flottan och fästningarna. Den var helt oväntad; riddarhusprotokollet talar om "en liten tysthet på salen", när den kungjorts. Men det fanns ingen väg undan. Adeln fick bevilja ännu en personlig kontribution, som kom att följas av en lång rad andra; sin personliga skattefrihet skulle den aldrig återfå. Också de ofrälse förmåddes i denna omgång åta sig nya skatter.

Man hade alltså valt reduktion i förhoppning att sedan slippa nya skatter. Men fick bådadera.

På samma sätt i fortsättningen. Vid 1682 års riksdag gällde det medel till skulderna. De ofrälse föreslog en utvidgad reduktion, medan adeln ville slå vakt om det som fanns kvar. Kungen lät då fråga om sin rätt enligt landslagen och fick det svar han önskade: han hade rätt att län giva och län taga. Med det hade all reduktion lagts i hans händer utan någon adelns bevillning. Även mindre donationer var i farozonen. I det aktuella läget fick adeln och de ofrälse också åta sig nya bevillningar.

Beslutens genomförande uppdrogs åt olika kommissioner. En av dem, likvidationskommissionen, skulle reglera förmyndarnas betalningsskyldighet och fordringsägarnas krav och fick pröva även det vederlag som presterats för köpe- och pantegods. Parallellt härmed pågick sedan 1678 omfattande rannsakningar

Medalj över riksdagen 1682. Arvid Karlsteen. Kungl Myntkabinettet. Foto Kungl Myntkabinettet.

över säterier och deras underlydande hemman, vilkas rättmätighet skulle prövas. För adeln var detta lika ömtåligt som en reduktion; det gällde den värdefullaste delen av godsinnehavet, och en del där missbruken var många och risken för efterräkningar stor.

Vid 1682 års riksdag togs även den nya arméorganisationen upp, i det bönderna i anslutning till vad som på sina håll redan skett åtog sig att rotevis anskaffa och underhålla manskapet i infanteriregementena mot att befrias från utskrivning. För de landskap, där detta knektehåll ännu ej kunnat genomföras, skulle utskrivning äga rum efter skärpta regler. I båda fallen fick adelns bönder mot privilegierna prestera lika med skatte och krono. Besluten gällde för framtiden, oberoende av bevillning.

Uppgörelserna 1680 och 1682 har sin bakgrund i de efter kriget aktualiserade militära kraven. Till kronans förfogande ställdes mycket stora, från adeln återtagna godskomplex, de gods som en gång varit belöningen för dess tidigare krigsinsatser. Också förmyndarräfsten ledde i många fall till att adeln måste betala med

gods. Dessutom hade man förmått den att bevilja nya, dryga kontributioner och de ofrälse nya skatter utöver dem som vid 1600-talets mitt ansågs vara bevillningar på yttersta gränsen. Därtill, och på sitt sätt mest anmärkningsvärt, manskapsuttaget och kostnaderna för krigsmakten hade dragits undan ständernas kontroll och bevillning.

Med dessa beslut hade den nya regimen fått möjlighet att genomföra sitt resurskrävande militära reformprogram. Besluten är i sig ett mått på den kungliga maktexpansionen. De visar att kungen nu kunde åsidosätta både råd och ständer och gå direkt mot högadelns ekonomiska intressen. Men här var också andra intressen inblandade, deras som kunde vinna på förändringarna.

Reduktionens och indelningsverkets samhälle
Den väl fortfarande gängse uppfattningen om reduktionens och indelningsverkets samhälle formulerades för femtio år sen av Eli Heckscher. Som han såg det, låste indelningsverket för lång tid framåt den svenska statshushållningen i en föråldrad och för krigstider

föga lämpad form. Reduktionen var statsfinansiellt motiverad och fick ett alltigenom statsfinansiellt förlopp. Den undanröjde hotet mot bondefriheten men tog i övrigt ingen större hänsyn till böndernas intressen. Adeln förlorade ungefär hälften av sitt godsinnehav men visade en märklig förmåga att bevara den värdefullare delen, sätesgårdarna med underliggande gårdar. Den skulle också ha blivit mera intresserad av den egentliga godsdriften, ha blivit godsbrukare mer än ränteuppbärare. Inom adeln skedde dock stora förändringar, i det nya grupper med byråkratiskt eller storborgerligt ursprung skaffade sig gods och titlar och utnyttjade alla möjligheter till billiga godsförvärv.

Uppfattningen har i flera hänseenden reviderats av senare forskning, inte minst vad beträffar förändringarna inom adeln. Det finns också ansatser till en ny helhetssyn, främst på historiematerialistiskt håll. Den vanliga uppfattningen torde vara den Maths Isacson uttrycker, när han i en inledning karakteriserar reduktionen som en "revolution inom systemets ramar". Han menar att det "högadliga väldet ersattes av ett lågadligt ämbetsmannavälde utan att produktionsförhållandena förändrades", men att dörren öppnades för något nytt genom reduktion och indelningsverk. Även Perry Anderson, vars tema är absolutismen, understryker att den feodala strukturen bevarades i Sverige, vilket var förutsättningen för adelns anslutning. Per Nyström vill hellre markera förändringens revolutionära karaktär. Den skulle ha lett till "ett framträngande i beslutsprocessen av storköpmanna-, rederi-, bruks- och kapitalintressena", till vilka man tar hänsyn i lagstiftningen. De nya makthavarna beskriver han som "ett bourgeoisi-militär-byråkratiskt komplex".

Jag återkommer till detta. Först några utgångstal. Enbart förmyndarräfstens skadeståndskrav uppgick till 4 millioner daler. Reduktionen brukar redovisas i de belopp ordinarie räntor som kronan återtagit, 2 millioner daler årligen, varav 700 000 för Sverige och Finland inom deras gamla gränser. Här kan även ingå

verkningar av räfsten med säterier och rå och rörshemman, som om de förlorade sina rättigheter i samma mån ökade kronans inkomster. Mest gav reduktionen i provinserna, därav Estland och Livland lika mycket som Sverige-Finland. Det var också först nu som provinserna kunde bestrida egna utgifter och underhålla där förlagda trupper och t o m lämna bidrag till riksbudgeten. Vad dessa siffror ger – om de är riktiga – är dock bara den statsfinansiella sidan.

Något mer säger en redovisning i mantal. Tabell 2 redovisar läget vid 1700-talets början, jämfört med det 1654 enligt tabell 1. Det är nu bara fråga om Sverige – inom samma gränser – och siffrorna är uttryckta i förmedlade mantal, varför jämförelsen måste grundas på procenttalen. De visar att adelns andel kraftigt minskat, från ca 2/3 till något under 1/3. Här ingår även de mantal som adeln måst avstå till följd av förmyndarräfstens krav.

Tabell 2. Mantalet i Sverige 1654 och 1700

	Frälsemantal	Totalmantal
1654	39.632 (65,2)	60.750 (100)
1700	15.976 (31,4)	50.899 (100)

Källor: 1654 års siffror enl tabell 1. 1700 års har hämtats ur landsböcker för de svenska länen omkring 1700, RA. Heckschers motsvarande uppgifter (I:1, bil IV) bygger på en summarisk tablå i Skatteregleringskommitténs betänkande 1882, där de erövrade landskapen ej kan särskiljas.

Av större intresse är emellertid det sätt på vilket reduktion och räfster genomfördes och de återtagna godsen disponerades. De undersökningar som gjorts inom 1600-talsprojektet av Gösta Kallin och Åke Lindström visar för Sveriges del ett starkt samband mellan reduktionen och säteriräfsten å ena sidan och militärorganisationen å den andra. Det är de militära kraven som fått bestämma, och när sammanstötande sådana förelegat har man prioriterat kavalleriet, där rusthållsorganisationen krävde mängder av hemman. Också för räfsten finns detta samband; man har velat begränsa antalet säterier och rå och rörshemman, som var fritagna för utskrivning och rotering. Av samma skäl föreskrev man 1686 att nya sådana inte fick upprättas; roteringen och indelningsverket fick inte rubbas. Det finns för övrigt även ett personellt samband; det var ofta samma personer som på det lokala planet hade att genomföra både indelningsverk, reduktion och räfst.

Detta vad Sverige och Finland beträffar. I provinserna gjorde man än hårdare godsindragningar. Men godsen stannade i adelns hand, på arrende. Aleksander Loit har undersökt systemet i Estland och klarlagt hur arrendena sattes och den förändring som skedde när de blev beständiga och därmed förvandlades till en avgift av godsen. Förklaringen till detta helt avvikande system är att man i provinserna aldrig införde vare sig indelningsverk eller knektehåll och därför inte behövde godsen som sådana. Förmodligen också hänsyn till den baltiska och tyska adeln som man inte kunde stöta från sig.

En annan väsentlig förutsättning för det nya samhället är lönesystemet, dvs att lönerna kunde betalas ut. Inte bara de indelta som innehavaren ofta själv bar upp. Utan även de egentliga lönerna som dominerade i de centrala verken och för de högre ämbetsmännen. De beskattades visserligen – kontributionerna efter 1682 innefattade 1/10 av alla löner – men det mesta kunde i regel disponeras. Och det betydde mycket, inte bara för de lägre tjänstemännen utan kanske mest för de högre och högsta. Det var deras höga löner som gjorde det möjligt för dem att klara sig genom reduktionens och räfsternas alla påfrestningar. Ågrens undersökning av riksskattmästaren Sten Bielkes ekonomi och Kullbergs av riksmarskalken Johan Gabriel Stenbocks ger här mycket klara indikationer.

Det är mot denna bakgrund vi har att se de sociala konsekvenserna. Vad först bönderna beträffar, skulle deras villkor ha ändrats genom att de feodala bindningarna avtar och de feodala räntekraven ersättes av de som ingår i indelningssystemet. Dessa förändringar

kan dock inte konkret ha inneburit särskilt mycket. Vi har redan tidigare en bondeklass på väg upp och en adel med en undergrävd position, politiskt och ekonomiskt. Landbornas ställning hade visserligen försämrats genom kronans skattepolitik, men det finns skäl förmoda att adeln kompenserat dem genom restantieeftergifter. Indelningshavarna och rusthållarna var i annat läge; de måste kräva sina räntor och kan väntas ha fått sina intressen tillgodosedda av både kronan och de nya häradsrätterna, som till skillnad från de gamla dominerades av juridiskt utbildade häradshövdingar. Fullt säkra slutsatser kan dock inte dras, så länge man inte undersökt faktiska betalningar och – kanske viktigast – förekomsten av skatte- och avradsrestantier.

Inom adeln var grupperna många. Heckschers iakttagelser om dem kan synas rimliga men har väl ofta karaktären av frihandsteckning, och de konkreta fall som anföres är inte sällan misstolkade. Allmänt gäller att han underskattat de stora förlusterna av säterier och rå och rörshemman genom att läget före räfsten feltolkats och dess verkningar inte fullt beaktats. Riktigt är emellertid att den mest utsatta högadeln visat en märklig förmåga att bevara gods, även de som drabbades av både reduktion och förmyndarräfst, vilket senare också gällde i besluten deltagande rådsmedlemmar. Möjligheterna var många. Heckscher talar om förmögna giften och ett bevarande inom indelningsverkets ram, som boställen eller berustade säterier. Men det fanns mycket annat: de möjligheter som de höga lönerna gav även den gamla adeln att förvärva eller rädda säterier, arrenden av reducerade sådana – det förekom även i Sverige, främst i de områden som hörde till livgedinget – eftergifter i form av förläningar av reducerade gods samt gynnsamma överenskommelser med kronan. Det var genom sådana som Johan Gabriel Stenbock klarade sig undan förmyndarräfstens efterräkningar. Jag hänvisar vidare till de redan nämnda undersökningarna inom 1600-talsprojektet och till Bernt Johanssons om köpe- och låneverksamheten på säterikomplex.

Viktigast för framtiden var den nya tjänstemanna-klass, som uppstod som följd av lönereformerna och den väldiga överföringen av gods och räntor från adeln via kronan till officerare och ämbetsmän, både adel och icke adel. Även godsräntorna blev nu en lön som följde tjänsten, inte personen. Det är inom denna klass vi har den nya regimens främsta anhängare, de som redan i samband med riksdagsbesluten kunde räkna med reformer av detta slag.

Storborgarklassen däremot fanns redan tidigare och deltog *då* i beslutsprocessen, både som medlemmar av borgar- och adelsstånd och – framför allt – som associerad med och ofta själv ingående i finansämbetsmännens krets. Nu drabbades den av den partiella statsbankrutt, som följde i räfsternas spår. I det nya militära systemet behövde man inte på samma sätt som förut slå vakt om krediten. Likvidationskommissionen gick också hårt fram med fordringsägarna, vilkas anspråk ofta underkändes eller starkt nerprutades. På samma sätt med dem som hade förvärvat pante- och köpegods mot fordringar men nu ofta förlorade dem. Särskilt hårt drabbades de finansämbetsmän som ställt stora krediter till förfogande, bland dem Joel Gripenstierna som förklarades skyldig kronan 1 154 296 daler, medan han själv ansåg sig ha 3 377 825 daler att fordra. Bakom honom och andra i samma situation stod hela konsortier som även de drogs in i härvan.

Även i övrigt tog den nya regimen sina intressen till vara på bekostnad också av finansmän och borgare. Liksom andra högre stånd måste de i sin bevillning betala 1/4 av avkastningen av "alle fruktbare kapitaler, skeppsparter och companier" och av det som stod inne hos kronan. För storköpmän och företagare måste denna typ av beskattning ha varit särskilt olustig. Det skulle mycket förvåna om de inte i likhet med Johan Gabriel Stenbock funnit på att föra över tillgångar till utlandet.

Det är mot denna bakgrund inte alldeles lätt att karakterisera enväldets politik som gynnsam för bourgeoisin. Detta till skillnad från det danska enväldet, som tog större hänsyn till denna samhällsklass. Bl a genom de skuldbetalningar som ägde rum efter 1660 års omvälvning och i stor utsträckning tog formen av godsförsäljningar till borgerliga fordringsägare.

Det är däremot ett i hög grad militäriserat samhälle som nu framträder till följd av den starka satsningen på den inhemska krigsmakten som tilldelades väldiga resurser i hemman och hemmansräntor. Genom indelningsverk och knekte- och båtsmanshåll fick det en säreget agrar framtoning. Det för Sverige och systemet mest karakteristiska är kanske främst de nya grupper, som för lång tid framåt etablerar sig på landsbygden. Den ena, ryttare, knektar och båtsmän, fanns förut men fick genom de anslagna torpen sin definitiva löneform. Den andra är boställshavarna, som tillsammans med präster, köpmän och andra nya jordinnehavare bildar en för framtiden allt mer betydelsefull mellangrupp. I den ingår även de många rusthållarna, både bönder och andra, som ville utnyttja de förmåner som rusthållsvillkoren innebar, i fredstid väl att märka. Det är också nu som det boendemönster utbildas, som satt sin prägel på den svenska landsbygden, ett mönster som ytterst återgår på de under denna tid tillkomna planritningarna för prästgårdar och boställen.

Den nya maktstrukturen

Jämfört med den allmäneuropeiska utvecklingen kommer det svenska enväldet sent. En tidigare etablering var knappast möjlig; under de 40 åren mellan Gustav Adolfs död och Karl XI:s myndigblivelse har vi endast två korta perioder av myndig konungs regering, Kristinas och Karl Gustavs. Båda sökte hävda kungamakten men ingen nådde samma position som Gustav Adolf under hans senare regering. Den kungliga maktexpansionen gick då parallellt med uppbyggandet av militärstaten. Men den rörde sig fortfarande inom maktdelningens ram och berodde i hög grad på kungens person.

Efter Gustav Adolfs död byggde Axel Oxenstierna

vidare på förvaltningsorganisationen och fogade genom 1634 års regeringsform in de fem höga riksämbetsmännen i dess och statens ledning. Under dem hörde förvaltningen på alla nivåer, centralt och lokalt. Det han skapade var en statsmakt stark nog att fungera även utan kungens person. Sin vana trogen åberopade han också för detta Gustav Adolfs auktoritet: det hade varit dennes mening att styra riket genom de fem kollegierna "närvarande eller frånvarande, levande eller död, så att riket under en klok konung kunde väl förestås och en fåvitsk konung icke strax kastat omkull".

Detta den byråkratiska statens nära nog självstyrande system har, som det framgått, spelat en stor roll under tiden fram till enväldet. Men regimens högaristokratiska karaktär väckte snart antagonistiska krafter till liv, och de satte sin prägel på den senare förmyndartiden, då regeringen hade mot sig oppositionella grupper inom både adel och ofrälse och även inom rådet. Fasaden var dock en annan. När Ehrenstrahl 1669 skulle utföra sin riddarhusplafond fick han, som Allan Ellenius påpekar, foga samman adeln och riket och framställa denna adels dygder, bland dem Concordia, enigheten.

Vid denna tid var kungamakten överallt på frammarsch, och dess idéer, utvecklade av Hobbes och Pufendorf, nådde på många vägar Sverige. En av dem gick genom Erik Lindeman, adlad Lindschöld, småningom president och greve och en av Karl XI:s främsta rådgivare. Han var som Stig Jägerskiöld nyligen visat, nära förtrogen med Pufendorf och hade översatt Argenis, en politisk roman som förespråkade den starka kungamakten. Den fördes in i undervisningsprogrammet för Karl XI:s halvbror, Gustav Carlsson och för hans son, den senare Karl XII.

Ehrenstrahls plafond i Riddarhuset över riket och adelsståndets dygder. Gravyr av G C Eimmart. Kungl Biblioteket. Foto Kungl Biblioteket.

Ehrenstrahl, Allegori över Karl XI:s trontillträde. Drottningholm. Foto Statens konstmuseer.

De nya idéerna fanns alltså. När till dem kom katastroferna i kriget, för vilka den tidigare regimen gjordes ansvarig och där den unge kungen framstod som räddaren, var vägen banad även för enväldet. Formellt etablerades det genom raden av lagförklaringar alltifrån 1680, till sin karaktär naturrättsliga samhällsfördrag som överförde statslivets olika områden till kungen. De kröntes av suveränitetsakten 1693 med den kända förklaringen att konungen och hans arvingar insatts "till en envålds, allom bjudande och rådande suverän konung, den ingen på jorden är för dess actioner responsabel utan har makt och våld efter sitt behag och som en kristelig konung att styra och regera sitt rike". Vid ungefär samma tid utförde Ehrenstrahl sin allegori över Karl XI:s myndigförklaring och låter där Svecia framträda "i närmast krypande underdånighet" (Ellenius).

Attityden säger något om denna tids stämningar. Det svenska enväldet har aldrig behövt tillgripa någon militärkupp, tydligen inte heller de truppsammandragningar, vilkas tillvaro nyligen diskuterats. Däremot talades det om sådana i propagandan före 1680 års riksdag. Redan då fanns de känslor av hot och maktlöshet som präglar tiden. De förstärktes genom några av kungamaktens vidare aktioner.

I den första av lagförklaringarna, från 1680, sades att kungen inte var bunden vid någon regeringsform, endast till Sveriges lag, att avgörandet i de ärenden han hänsköt till rådet tillhörde honom ensam och att rådet inte var någon medlare mellan konung och folk. Till detta återkom man eftertryckligt i kassationsakten från 1689, där en rad "otillbörlige discurser och tal ang. den konungslige myndigheten" kasserades och fördömdes, bland dem de om regeringsformen och rådets särställning. Det som nu fördömdes var hela det tidigare regeringssystemet, Axel Oxenstiernas system.

Förändringarna gällde också förvaltningsorganisationen och träffade en rad av de centrala ämbetsverken, där grupper av ärenden bröts ut och lades under kungens förtroendemän som beslutande chefer. Vik-

tiga var det nu självständiga statskontoret med stats-
reglering och medelsdisposition som huvuduppgifter
och alla de kommissioner som reduktion och räfster
förde med sig. Samtidigt försvann riksämbetsmän och
riksråd och ersattes av presidenter och kungliga råd.
Många av dessa var nya män, andra kom från den
gamla adeln. Någon skillnad i deras förhållande till
kungen fanns dock inte, graden av beroende var den-
samma. Jag hänvisar här vidare till Anna-Brita Löv-
grens bidrag till volymen.

Även över landet i dess helhet ökade kontrollen.
Förvaltningen hade som en av sina främsta uppgifter
att genomföra reduktionen och räfsterna och den
totala inventering av alla hemman och räntor som
indelningsverket förutsatte. I detta sammanhang prö-
vades också hemmanens bärkraft, vilket i flera fall
ledde till förmedlingar, dvs skattenedsättningar. Vilket
i sin tur var en förutsättning för det nya militära
systemet; man måste ha säkerhet för att de skatter som
indelades verkligen kunde utgå.

Kontrollen gällde också befolkningen och utövades
som tidigare av prästerna genom deras förkunnelse
och deltagande i den statliga folkbokföringen. Under
Gustav Adolfs tid hade de fått upprätta längder för
personskatter och utskrivningar och tillhölls då också
att som kontroll föra rent kyrkliga personlängder.
Kravet på dessa senare vidhölls även när utskrivningar
och flertalet personskatter lagts över på gårdarna och
infogades nu i kyrkolagen som en prästernas ämbets-
plikt. De skulle föra födelse-, vigsel- och dödlängder
samt husförhörslängder och – som en nyhet – flytt-
ningslängder. Redan Gustav Adolf hade anbefallt
sådana, men det var först enväldet som fick dem till
stånd. De var också nödvändiga för den totala person-
kontrollen. En sådan är det nämligen fråga om; med
hemmansskatter och knektehåll var den rent kamerala
personkontrollen inte lika nödvändig som förut.

Som kungamaktens organ har här liksom i det föregå-
ende räknats krigsmakten, förvaltningen och kyrkan.

Enväldet medförde dock vissa förändringar i deras
förhållande till överheten. Under Gustav Adolfs tid
präglades krigsmakten och förvaltningen av adeln och
dess relationer till kungen, relationer som innebar en
påtaglig självständighet för i vart fall förvaltningens
ledande män. Det fanns här också ett feodalt inslag,
och det var i den feodala godsdonationens form som
belöningarna utdelades, de som för många då var vik-
tigare än den egentliga lönen. Under enväldet får vi ett
annat och nyare tjänsteförhållande. Belöningarna är
nu borta ur bilden, allt är löner som verkligen betalas
ut eller bärs upp från de skattskyldiga. Det är denna
tryggade lönesituation som förklarar tjänstemännens –
och adelns – uppslutning kring enväldet, mer detta än
den feodala strukturens bevarande, ett bevarande som
endast kan gälla de kvarstående frälsegodsen.

Som följd härav bör också synen på statstjänsten ha
ändrats. De halvt självständiga magnaterna fanns inte
längre, de som i erkänsla för beneficierna var beredda
att själva satsa på uppdrag som medförde kostnader
och inte räknade så noga med lönen. En av de sista var
paradoxalt nog Johan Gyllenstierna, som ruinerade sig
på sin ambassad i Danmark 1680. Efter reduktion och
räfster var något sådant inte längre möjligt och benefi-
cierna var borta. Den nya synen är dock svår att
belägga; det saknas än så länge undersökningar om
tänkesätten under enväldets tid.

I prästerskapets fall är kontinuiteten större. Som det
redan framgått, har den enväldiga monarken liksom
tidigare Gustav Adolf kunnat utnyttja prästerna, deras
förkunnelse och kontroll av undersåtarna, och på detta
plan ställt ökade krav på dem. I överensstämmelse
med sin teokratiska statsuppfattning var de också
beredda att tjäna överheten. Men de tvekade när den
grep in på områden som var kyrkans egna. Det var här
konflikter tidigare hade uppstått, främst när Gustav
Adolf och Axel Oxenstierna sökte etablera en kyrklig
överstyrelse med lekmannainslag. Karl XI gick längre
och lät en lekmannakommission under Erik Lind-
schöld se över de förslag till kyrkoordning som länge

varit under arbete och utfärdade sedan själv den kyrkolag, som han enbart lät meddela prästeståndet vid 1686 års riksdag. Att opposition här som i övrigt funnits är känt; hur omfattande den varit är svårt att belägga, materierna var ömtåliga.

Detta kan också sägas generellt. Enväldets intressemässiga förankring hos olika samhällsgrupper går att någorlunda fastställa, dess opinionsmässiga är betydligt svårare att få grepp om. Och måste vara det under en regim som inte tolererade avvikande meningar. Riksdagarna fanns visserligen kvar, men tilläts i stort sett endast att instämma. Vid dem framkom emellertid liksom tidigare de olika ståndens besvär, och de säger åtskilligt om vad man konkret och praktiskt reagerade mot. Detsamma gäller de enskilda supplikerna, som kunde inges till högre och lägre myndigheter. Det som i detta material främst tas upp är inte oväntat alla de förändringar som blev följden av indelningsverkets och knektehållets genomförande och andra därmed sammanhängande skattemässiga frågor. Också för enväldet har dessa inlagor varit något av en informationskälla som man behövt, även som säkerhetsventil för befolkningens missnöje.

Det nya kriget
Vid 1690-talets mitt var det militära reorganisationsarbetet i stort sett avslutat. Armén, flottan, fästningarna, allt var nyskapat, välrustat och övat under Karl XI:s oavlåtliga överinseende. Erfarenheterna från 1670-talet hade varit vägledande; som alltid i dylika fall har man sökt gardera sig mot ett upprepande av tidigare missgrepp och svårigheter.

När kriget kort därefter kom, blev mobiliseringen också en annan än den 1655 och 1674. Den förra har karakteriserats med rubriken "Att börja krig utan pengar". Nu fanns både pengar och trupper; i det nya systemet var den inhemska armén avsedd som fältarmé, och medel fanns till värvningar. Allt var förberett; det fanns uppmarschplaner för olika krigsalternativ och förråd och finansiella reserver. Kungen hade

dessutom betingat sig rätten att pålägga både krigskontribution och gärder för krigsfolkets genommarsch. Allt som allt något av en generalstabs önskedröm. I den plan som följdes fanns t o m varje kompanis marschruta fastställd och platserna där förbanden skulle organiseras.

Uppmarschen till kriget har nästan alltid skildrats och diskuterats med blicken riktad mot det som skulle följa. I Frans G Bengtssons konstprosa så här: "Sålunda drogo de nu alla ut, i detta års senvinter och klara vårdagar, och ringlade längs många vägar långsamt söderut i blåa kolonner: alla kungens ryttare och alla kungens män, med kungen själv och Hultman och hundarna och Pipers kaross och allt: många att draga ut, få för att en gång komma tillbaka".

Vid samma tid – på 1930-talet – debatterade Heckscher och Lagerroth indelningsverkets system, även de med utgångspunkt i krigets inledning. Den förre var som alltid negativ mot alla former av statlig reglering och menade att detta låsta naturasystem inte fungerade i kriget och inte heller militärorganisationen i övrigt. Reduktion och räfster hade dessutom ödelagt krediten, som på intet sätt kunde ersättas av Karl XI:s skattsamlingar. Lagerroth hävdade däremot att de omläggningar kriget förde med sig var förutsedda och att finanssystemet inte haft den rigida karaktär som Heckscher ansåg.

Som James Cavallie konstaterar, har båda kombattanterna renodlat utan någon egentlig konfrontation med materialet. Hans egen undersökning av finansproblemen kring krigsutbrottet utmynnar i konstaterandet att mobiliseringen kunnat genomföras vid sidan av det reguljära statområdet "utan tillgång till utländskt kapital och med en starkt begränsad låneupptagning i hemlandet – detta som följd av de militära och finansiella reformer under Karl XI:s tid, som resulterat i tillkomsten av en stående armé och existensen av reserver och odisponerade tillgångar av olika slag".

Om kriget skall här endast sägas att de slutliga kata-

Lorenz von der Lindes officerare avporträtterade 1649, oljemålning på koppar attribuerad till Andreas Magerstedt. Tidstypiskt dräktskick från tiden för Karl X Gustavs regering. Nordiska museet. Foto Nordiska museet.

stroferna var betingade av den svenska stormaktens utsatta läge i kombination med sviktande resurser och halstarrigt vidhållna mål. Problemet är egentligen inte katastroferna utan detta att kriget kunde hållas i gång i mer än 20 år. Det säger trots allt något om systemets effektivitet. Också om dess smidighet; de finansiella improvisationerna var många, och under Karl XII:s senare år lades finanssystemet om i syfte att möjliggöra ett än mera effektivt uttag av landets resurser. Samtidigt lyckades man vidmakthålla de åtaganden, som innebar att manskapsuttaget helt vilade på rust-

hålls- och knektehållsorganisationen utan några som helst nya bevillningar. Även ersättningsmanskap fick man på samma sätt i former som erinrar om motsvarande förstärkningar under skånska kriget, de av Berndt Fredriksson behandlade utskottstrupperna. De hade tagits ut vid sidan av utskrivningar och existerande knektehåll under motivering att de skulle användas inom landet.

En väsentlig förutsättning för systemets effektivitet var enväldet; det insåg redan samtiden. 1694 kom det ut en bok med titeln "An account of Sweden: Together with an Extract of the History of that Kingdom"; Lars Ericson har nyligen behandlat den. Boken är som sig bör i den ärorika revolutionens England kritisk mot det svenska enväldet och hade föregåtts av en motsvarande negativ skildring av det danska. Författaren är stockholmsdiplomaten John Robinson, om till boken i dess helhet är dock oklart. I varje fall bör han stå bakom avsnittet om den svenska krigsmakten, som är påfallande initierat och fyllt av respekt över det militära reformarbetet, vars resultat noteras, en stridsberedd armé som med kort varsel kunde ställas på krigsfot. Författaren konstaterar också, vilket med tanke på tendensen i övrigt är intressant, att först enväldet kunnat råda bot på de svagheter, som kännetecknat det tidigare militära systemet.

Som det framgått hade icke desto mindre militärstaten kommit långt på väg i sin utveckling under Gustav Adolfs senare år men då hämmats av den trots allt kvarvarande maktdelningens spärrar. Dessa fanns nu inte längre, och enväldet gav militärstaten alla möjligheter. Det är också det som förklarar att landet så länge kunde hållas i krig under vad Axel Oxenstierna skulle kallat en fåvitsk konung.

Först skottet i Fredrikshald banade väg för en förändring, för både enväldets och stormaktsväldets fall. Enväldets som följd av motgångarna i kriget, men också av det förhållandet att finanspolitiken genom dryga kontributioner och lönereduktioner börjat bli klart ogynnsam för de samhällslager som burit upp regimen. Till det kom konkurrensen om de militära beställningar och boställen som i det nya systemet trätt i stället för donationer. Men de räckte inte till för de under kriget kraftigt ökade officerskårerna; endast en del av dem kunde försörjas inom landet. Vid en övergång till fred måste problemet bli akut, en ny variant av demobiliseringens problem.

Militärstaten bestod emellertid, i en annan form, den av Gunnar Artéus analyserade frihetstida staten, där militären fungerar som politiskt instrument och samhällsstrukturen präglas av militära ideal och intressen.

Generallöjtnanten i Karl XII:s armé Carl Gustaf Armfeldt målad av David von Krafft 1719 i den strama karolinska uniformen (jfr föregående bild). Drottningholm. Foto Statens konstmuseer.

REFERENSER

I den föregående framställningen har jag kunnat knyta an till forskningarna inom projekten "Sociala och statsfinansiella problem inom 1600-talets svenska samhälle" (från 1965) och "Militärstaten och bondesamhället" (från 1979). Inom det senare har Jan Lindegren för 1984 års nordiska historikermöte publicerat en rapport över *"Den svenska militärstaten 1560–1720"*. Våra framställningar har utformats under nära samarbete.

Till 1600-talsprojektet finns delsammanfattningar av mig själv i H Landberg, L Ekholm, R Nordlund och S A Nilsson *"Det kontinentala krigets ekonomi"*, från 1971 och i *"Från krig till fred. Krigsmakt och statshushållning under svenskt 1600-tal"* (i Foredrag og forhandlinger ved det nordiske historikermöde 1971). Dessutom av Margareta Revera *"1600-talsbönderna och deras herrar"* (i Den svenska juridikens uppblomstring i 1600-talets ... stormaktssamhälle, ed Göran Inger, 1984).

I texten åberopade projektavhandlingar förtecknas i Berndt Fredriksson *"Försvarets finansiering. Svensk krigsekonomi under skånska kriget 1675–79"*, 1976. Jag har också kunnat utnyttja otryckta licentiatavhandlingar av B Johansson *"Godsförvärv och likviditetsproblem ... i Södermanlands och Uppsala län 1680–1720"*, 1969, G Kallin *"Räfst och reduktion ... i Södermanland och livgedingets Södermanlandsdel"*, 1964, Å Lindström *"Studier i Karl XI:s räfst och reduktionspolitik i Jönköpings län"*, 1967, samt avhandlingsuppsatser av Britt Nyberg om avdankningen av den svenska armén efter 30-åriga kriget och Curt Nyström om de finansiella förberedelserna inför 1680 års riksdag.

Åberopade källställen återfinns i tryckta rådsprotokoll, riksdagsbeslut och -protokoll samt Axel Oxenstiernas brev. Jag återkommer i en senare uppsats till regeringssystemet enligt 1634 års regeringsform.

För litteraturen i övrigt hänvisar jag till nyss anförda arbeten. Särskilt bör dock nämnas:

P Anderson, *Den absoluta statens utveckling*, 1978.

G Artéus, *Krigsmakt och samhälle i frihetstidens Sverige*, 1980.

B Asker, *Officerarna och det svenska samhället 1650–1700*, 1983.

F G Bengtsson, *Karl XII:s levnad 1*, 1935.

A Corvisier, *Armies and societies in Europe 1495–1780*, 1979.

O Ehn, *Prästgårdar i Uppland*, Uppland 1980.

A Ellenius, *Karolinska bildidéer*, 1966.

I Elmroth, *För kung och fosterland. Studier i den svenska adelns demografi och offentliga funktioner 1600–1900*, 1981.

L Ericson, *Indelningsverket sett med brittiska ögon*, KFÅ 1983.

S A Finer, *State- and nation building in Europe; the role of the military* (i The formation of national states in Western Europe, ed C Tilly), 1975.

B Fredriksson, *Bönder och soldater i den svenska samhällsutvecklingen och indelningsverket 1620–1901, En principskiss*, stencil 1978.

E Heckscher, *Sveriges ekonomiska historia I:1–2*, 1935, 1936.

L Herlitz, *Jordegendom och ränta*, 1974.

K G Hildebrand, *Nya näringar, nya resurser* (i Då ärat ditt namn ... Om Sverige som stormakt i Europa), 1966.

M Isacson, *Ekonomisk tillväxt och social differentiering 1680–1860*, 1979.

P Jansson, *Kalmar under 1600-talet*, 1982.

S Jägerskiöld, *Erik Lindeman-Lindschöld 1*, KFÅ 1983.

J Jörgensen, *Bilantz 1660, Adelsvaeldens bo* (i Festskrift till Astrid Friis), 1963.

A B Lövgren, *Handläggning och inflytande*, 1980.

A Munthe, *Joel Gripenstierna*, 1941.

S A Nilsson, *Reduktion eller kontribution*, Scandia 1958.

Det ypperliga frälset (i På väg mot reduktionen), 1964.

Halmstads historia 1, 1968.

Från förläning till donation, HT 1968.

Landbor och skattebönder (i Festskrift till Sten Carlsson), 1977.

Krig och folkbokföring under svenskt 1600-tal, Scandia 1982.

Militärstaten i funktion (i Gustav Adolf – 350 år efter Lützen), 1982.

P Nyström, *I folkets tjänst...* Artiklar 1927–83 i urval, 1983.

G Parker, *Europe in crisis*, 1979.

E Ladewig Petersen, *Fra domaenestat til skattestat*, 1974.

Fra standssamfund til rangsamfund. Dansk socialhistorie 3, 1979.

M Revera, *Adlig godsdrift i 1600-talets Sverige* (i Från medeltid till välfärdssamhälle, Nordiska historikermötet i Uppsala, 1974).

Hur bönders hemman blev säterier (i Bönder, bördor, börd etc), 1979.

M Roberts m fl, *Swedens age of greatness 1632–1718*, 1973.

J Rosén, *Skånska privilegie- och reduktionsfrågor 1658–1688*, 1944.

Johan Gyllenstiernas program för 1680 års riksdag, Scandia 1944.

Svensk historia 1, 1969.

N Runeby, *Monarchia mixta*, 1962.

Mandarinernas uppkomst (i Bönder, bördor, börd etc), 1979.

G Rystad, *Johan Gyllenstierna, rådet och kungamakten*, 1955.

A Åberg, *Indelningen av rytteriet i Skåne*, 1947.

Karl XI, 1958.

K Ågren, *Gods och ämbete*, Scandia 1965.

G Oestreich, *Geist und Gestalt des frühmodern Staates*, 1969.

Svenskt och europeiskt i karolinsk arméstridstaktik

Gunnar Artéus

De flesta vuxna svenskar torde ha något slags uppfattning om Karl XII:s armé, bl a att det var något speciellt eller unikt med den på slagfältet, något ojämförligt mer offensivt och våldsamt i dess normala stridsbeteende än i andra dåtida europeiska arméers. Detta är den bild som förmedlas av Frans G Bengtssons populära Karl XII-biografi och av många läroböcker, uppslagsverk, regements- och krigshistoriska arbeten och historiska romaner. Och dessa verks författare har nästan alla hämtat den bilden ur Generalstabens klassiska och auktoritativa verk *Karl XII på slagfältet* (1918–19).

I denna artikel kommer jag att kortfattat återge Generalstabsverkets framställning av den karolinska och den samtida europeiska arméstridstaktiken och sedan redovisa vad den senaste primärforskningen har att säga om verkligheten i fråga.

Den karolinska arméstridstaktiken – är den av något vetenskapligt intresse idag? frågar sig kanske läsaren nu. Frågan syns mig inte opåkallad – eftersom det är en typ av fråga som enligt mitt synsätt är legitim beträffande allt vetenskapligt arbete. Själv menar jag att ämnet för artikeln är av intresse inte endast därför att det som bekant faktiskt intresserar ett mycket stort antal människor – ett förhållande som för mig väger tungt – utan också just vetenskapligt, och detta i åtminstone tre avseenden:

(1) Den svenska forskningen om samhällsförändringar har länge varit inriktad nästan uteslutande på den fredstida, eller relativt långsamma, typen av sådana processer. Under 1970-talet har emellertid, delvis av utomvetenskapliga orsaker, en påtaglig intresse-förskjutning ägt rum – i riktning mot den "kataklysmiska" typen, dvs mot sådana bråda och ofta genomgripande samhällsförändringar som direkt sammanhänger med *krig*, i synnerhet förlorade krig, och jämförliga katastrofer. Och forskning om exempelvis ett förlorat krigs återverkningar på en nation kan uppenbart i många fall berikas av kunskap om förhistorien: hur kriget fördes, och hur det kom till sitt katastrofala slut. Den karolinska arméstridstaktiken har sin plats i förhistorien till en nationell katastrof, och det bidrar till att ge den aktuellt vetenskapligt intresse, syns det mig.

(2) Generalstabsverket har, som redan nämnts, kommit att prägla den historiskt belästa svenska allmänhetens föreställning om den karolinska arméns institutionella taktik. Det är, trots att förhållandet påpekats i Dagens Nyheter av Erik Lönnroth, inte många ens inom historikerskrået som har klart för sig att Generalstabsverket bl a är ett propagandistiskt uttryck för den politiska och kulturella strömning under tidigare 1900-talet – med udd mot parlamentarism, nedrustningssträvanden och kosmopolitism – som fått namnet "Karl XII-renässansen". Verket är officiellt en kollektiv produkt, men har i detalj planlagts och huvudsakligen författats av dåvarande kaptenen Carl Bennedich. Det är ingen tillfällighet att det var samme Bennedich som hjälpte Sven Hedin att skriva Gustav V:s borggårdstal 1914 och därmed medverkade till att fördriva regeringen Staaff och avgöra den aktuella försvarsfrågan efter högerns och officerskårens modell. Den *chauvinistiska* liksom den militaristiska och ultrarojalistiska tendensen i Generalstabsverket observerades redan när det utkom, men först ett halvsekel senare

blev dess framställning utsatt för en systematisk och grundlig empirisk prövning (vars resultat alltså här skall presenteras). Ämnet för denna artikel borde inte synas helt intresselöst för den som – i likhet med mig – fortfarande anser det vara en angelägen vetenskaplig uppgift att empiriskt granska verklighetsbeskrivningen i nationalistiskt (eller av annan "ideologi") inspirerad historieskrivning.

(3) Under den allra senaste tiden har svenska forskare åter börjat intressera sig för en fråga som i århundraden fascinerat lärd och lekman, men inte sedan 1940-talet varit föremål för egentlig vetenskaplig behandling. Det gäller frågan huruvida det har funnits eller finns något specifikt *svenskt*, någon svensk *egenart* t ex i vår "mentalitet" och världsbild, i våra sociala beteendenormer, i våra politiska, rättsliga och administrativa institutioner, i vår musik, vår skönlitteratur och vår bildkonst – och i vårt sätt att föra krig. En internationellt jämförande analys av den karolinska arméstridstaktiken blir i det sammanhanget av betydande intresse.

Vad menas med arméstridstaktik?
Det är nu dags att definiera begreppet "armestridstaktik", först generellt och sedan med tillämpning för det sena 1600-talets och det tidiga 1700-talets Europa. Härvid blir det också aktuellt att specifiera vad som företrädesvis kommer att belysas i artikeln.

Taktik inom landkrigföringen handlar, konventionellt definierad, om hur stridsenheter skall användas på slagfältet (motsv) för att skapa största möjliga framgång: om deras formering och gruppering för striden och om deras stridssätt (metoder för eldgivning, framryckning, inbrytning osv). Vad som här skall ställas i blickpunkten, är inte den väsentligen situationsbetingade taktiken, den som befälhavaren väljer under intryck av terrängen, styrkeförhållandena, fiendens slagordning osv och som i nutida militärt språkbruk benämns "tillämpad taktik". Artikeln är i stället inrik-

tad på det som nutida militärer betecknar som "formell taktik" och jag här vill kalla "stridstaktik" (i motsats till den ovan beskrivna "slagtaktiken") eller institutionell taktik eller normaltaktik. Här rör det sig om ett stridsbeteende som väsentligen betingas inte av situationen utan av tradition (teori) och andra trögföränderliga förhållanden, främst beväpning; om reglementerad (institutionell) och inövad taktik som i strid manifesterar sig i form av en normalformering, en normalgruppering och ett normalstridssätt för stridsenheterna. Söker vi identifiera vad som är nationellt respektive internationellt i olika staters krigföringsmetodik, bör vi främst studera deras institutionella armétaktik, syns det mig. Låt mig sammanfatta den indirekt redan givna definitionen på taktiken i fråga genom att nämna dess väsentliga komponenter: stridsenheternas beväpning, deras normala stridsformering och deras normala gruppering för strid (normalslagordningen), deras normala stridssätt samt den grundläggande stridstaktiska teorin (doktrinen).

Den närmare beskrivningen av dessa komponenter skall företas i termer från den relevanta periodens Europa. Först något om truppslagen. Dessa var fyra: infanteri, kavalleri (inklusive dragoner), artilleri och "ingenjörer" (fortifikationspersonal o likn). Här skall helt bortses från "ingenjörerna", som inte hade med den egentliga striden att göra. Artilleriet kommer att uppmärksammas i några sammanhang, men inte att behandlas systematiskt. Detta beror på att dess taktiska roll vid Karl XII:s armé uppenbart var mycket begränsad före 1710 – kungen hyste länge, som Carl Cronstedt skrev 1721, "likasom ett förakt för artilleriet"; och på att Generalstabsverket inte hävdar någon annan uppfattning, eller överhuvudtaget något utmanande, i fråga om det karolinska artilleriet; och framför allt på att det inte finns någon internationellt jämförande primärforskning att redovisa i sammanhanget. Det kommer alltså här att huvudsakligen röra sig om stridstaktiken vid *infanteriet* och *kavalleriet* i den tidens Europa. De "stridsenheter" som kommer att

En svensk ryttare i strid med en sachsisk och en polsk vid Kliszow 1702. Kapitelvinjett, belysande verkets chauvinistiska tendens, i Generalstabens Karl XII på slagfältet (1918–19). Foto Asterborn, Livrustkammaren.

figurera i artikeln blir därmed endast av två slag: bataljoner respektive skvadroner.

Beträffande stridstaktikens *teori* är det i detta sammanhang främst av intresse att klarlägga, om den väsentligen var offensivt eller defensivt inriktad, och att härvid även kunna tillnärmelsevis bestämma graden av dess offensiva eller defensiva karaktär. Detta är långt mer problematiskt än det kan synas, beroende på att det under den aktuella epoken nästan aldrig förekom att sådan doktrin formulerades i skrift. Vi är i regel hänvisade till att rekonstruera teorin i fråga genom deduktion från egenskaperna hos stridstaktikens övriga komponenter.

Vad angår *beväpningen*, knyter sig de i sammanhanget viktigaste frågorna till proportionen mellan fjärrstridsvapen (eldvapen) och närstridsvapen (blanka vapen) vid infanteriet. Kärnfrågan gäller proportionen musketörer:pikar inom bataljonen. Piken var epokens ojämförligt effektivaste närstridsvapen, men vida mindre tjänlig att hålla fienden på avstånd än musköten. Existensen av ett förhållandevis stort antal pikenerare vid en armé implicerar därför, rationellt sett, att dennas stridstaktiska doktrin var starkt offensivinriktad.

Det som här äger mest intresse i fråga om *stridsformeringen* är, om den vid bataljonerna normalt var linje (hade större bredd än djup) eller kolonn (var mera djup än bred, eller lika djup som bred). Linjen, epokens gängse stridsformering, kännetecknades av mycket stor eldkraft (många kunde ge eld samtidigt utan risk att träffa sina kamrater), men saknade fysisk tyngd vid sammanstötningen med fiendeleden och var jämförelsevis svår att manövrera. Kolonnen, den typiska marschformeringen, var svag i eldstrid (endast tätleden i den jämförelsevis smala formationen var oförhindrade att skjuta), men manövrerade smidigt på slagfältet och överväldigade, om den – mot alla odds – lyckades undgå att sönderskjutas under framryckningen, varje linjeformerad bataljon. Frekvent bruk av kolonnformering i strid under denna epok förutsätter rationellt en extremt offensivinriktad doktrin för stridtaktiken vid armén i fråga. Beträffande stridsenheternas gruppering inför strid, eller m a o formen på *slagordningen*, gäller analogt vad som här sagts om stridsformeringen.

Kärnfrågorna rörande *stridssättet* slutligen gäller dels bataljonernas och skvadronernas normala tempo i anfallsrörelsen, dels vilken roll som kontinuerlig eldgivning respektive närkontakt med (salveld och) blanka vapen tilldelats i deras normala anfallsmetod. Ju högre tempo och ju mindre av kontinuerlig eldgivning som kännetecknade en dåtida armé under anfall, desto mer offensivinriktad var rimligen, dvs om vi räknar med ett rationellt sammanhang mellan teori och praktik, dess stridstaktiska doktrin.

Infanteriets och kavalleriets beväpning

Enligt Generalstabsverket var Karl XII:s infanteri vid krigsutbrottet 1700 beväpnat med pik eller musköt – ⅓ av bataljonen med pikar, ⅔ med musköter – samt med värja. Fr o m 1696 ersattes luntlåsmusköten successivt med flintlåsmusköt (även benämnd "gevär"), och fr o m 1700 började musketerarna utrustas även med bajonett; en process som dock gick mindre snabbt än kungen ville, beroende på otillräcklig teknisk kapacitet i hemlandet. I övriga Europa var enligt Generalstabsverket infanteriet vid denna tid enhetligt beväpnat med inget annat än flintlåsmusköt och bajonett (bajonettgevär). Piken hade i praktiken avskaffats som reguljärt infanterivapen under senare 1600-talet.

Epokens kavalleribeväpning var enligt Generalstabsverket väsentligen likformig över hela Europa, Sverige inte undantaget. Det egentliga kavalleriet (kyrassiärerna) bar värja, karbin och två pistoler; dragonerna likaså värja och två pistoler, men bajonettgevär – för strid till fots – i stället för karbin.

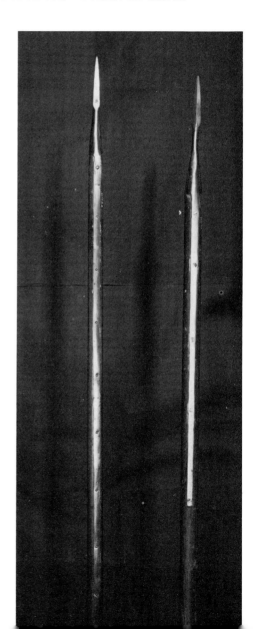

Den nyaste primärforskningen bekräftar General-stabens bild av beväpningen vid Karl XII:s och de samtida kontinentala staternas infanteri och kavalleri – utom i ett, och mycket betydelsefullt, avseende. Den ihop sig mot standaret (mitten) på det sätt att varje ryttare på högra flygeln satte sitt vänstra knä i den vänstra sidokamratens höga knäveck, och motsvarande på vänstra flygeln. Skvadronen fick härigenom

Infanterivapen vid Karl XII:s armé. Värja (för manskap), pikar och flintlåsmusköt med bajonett. Armémuseum och Livrustkammaren. Foto Armémuseum.

observerar – vilket generalstabsforskarna alltså förbi-sett – att pikarna under Stora nordiska kriget behölls i oförminskad proportion inte endast vid den svenska armén utan faktiskt också vid den ryska!

Infanteriets och kavalleriets normala formering och gruppering för strid

I strid var epokens bataljoner och skvadroner överallt i Europa normalt formerade i linje – 4 led djup vid infanteriet, 2–3 led djup vid kavalleriet – enligt Generalstabsverket. Den karolinska bataljonen omfattade fulltalig 600 man och bildade då i stridsformering en linje som var ca 90 meter (150 man) lång. Pikenerarna var samlade i mitten, med lika många musketerare på vardera sidan. En fulltalig karolinsk skvadron räknade 125 ryttare och var alltså, framifrån sedd, ca 42 alternativt ca 63 meter bred (lång) i stridsformering. Denna formering var så tät som fysiskt var möjligt: med ryttarna inte "knä vid knä" utan "knä bakom knä". Då skvadronen formerades för strid, tryckte leden

det "plogliknande" utseende som den har på vissa samtida teckningar. Denna extremt tätslutna forme-ring – som i högt tempo inte kunde hållas längre än några hundra meter – gav naturligtvis skvadronen betydligt ökad stötkraft vid kontakten med fientligt kavalleri.

En av Generalstabsverkets grundläggande teser är att bataljonerna och skvadronerna vid alla Europas arméer under epoken, utom dem som leddes av Karl XII personligen eller av hans lärare Carl Gustaf Rehnschiöld, alltid och överallt grupperades för strid i en – stundom många kilometer lång – dubbellinje (en frontlinje och en parallell reservlinje) med infanteriet i centern och kavalleriet på flyglarna. Denna fasta "lineartaktiska" slagordningsmodell har alltså enligt Generalstabsverket stereotypt använts även av de ryktbara karolinska generalerna Adam Ludvig Lewen-haupt och Magnus Stenbock. Kungen och Rehn-schiöld däremot sägs ha föregripit Napoleons flexibla "kolonntaktik" i olika sammanhang, ja faktiskt ha varit till den grad "moderna" på slagfältet att de vid

Holowczin och Poltava rentav sände bataljoner till anfall i kolonnformering.

Denna tes framstår efter den senaste forskningens närstudium av källorna som en chauvinistisk konstruktion utan skönjbar materiell grund. Förvisso gick den svenska armén under kungen och Rehnschiöld till anfall med stridsenheterna grupperade i kolonner vid Narva, Holowczin och Poltava (skansgenombrytningen) – men det gjorde också Stenbocks armé vid Gadebusch 1712, Marlboroughs armé vid Schellenberg 1704, prins Eugens armé vid Capri 1701, Luzzara 1702, Cassano d'Adda 1705 och Turin 1706 samt marskalk Villars' armé vid Denain 1712. I samtliga dessa fall utom vid Capri, Luzzara och Cassano d'Adda kan den djupare (smalare) slagordningen naturligt härledas till speciella lokala förhållanden, främst terrängen och/eller fientliga befästningsarbeten. I den mån någon av epokens fältherrar kan sägas ha visat "napoleonska" tendenser i sin gruppering av stridsenheterna, var det m a o inte Karl XII eller Rehnschiöld utan Eugen av Savoyen.

Generalstabsverkets framställning av de karolinska och de samtida europeiska bataljonernas och skvadronernas stridsformering syns tåla en detaljerad empirisk granskning väsentligen bättre. Men de kolonnformerade svenska bataljoner som Bennedich och hans medarbetare har sett på slagfältet vid Holowczin och Poltava har den nyaste forskningen inte kunnat återfinna någonstans i källorna. Och generalstabsforskarna har inte observerat att den karolinska skvadronen företer en samtidseuropeiskt unik kvalitet i sin extremt täta stridsformering "knä bakom knä" – och har därmed förbisett ett förhållande som kunde anföras till stöd för deras tes om den karolinska arméstridstaktikens särpräglade och allmänt överlägsna art.

Infanteriets och kavalleriets normala stridssätt

Vad gäller det karolinska infanteriets stridssätt, har den nyaste forskningens resultat visat sig vara huvudsakligen förenliga med Generalstabsverkets. Den föl-

Schematiska exempel på formering/gruppering i linje/kolonn av stridsenheterna (bataljoner/skvadroner) i Europa 1700–1712. Illustration ur Artéus, Krigsteori och historisk förklaring 2. 1972.

jande redogörelsen för detta stridssätt ansluter nära till den senaste forskningens analysmodell.

Det svenska infanteriet tillämpade under Stora nordiska kriget vad som kallades för "Det Nya Maneret att träffa /strida/ med en Battaillon". Detta stridssätt reglementerades provisoriskt 1694 och mer definitivt 1701. Vad det innebar, torde i huvudsak framgå av följande utdrag från reglementet 1694 (här i lätt

Den senkarolinska skvadronens karaktäristiskt "plogliknande" stridsformering. Samtida teckning. Krigsarkivet. Foto Krigsarkivet.

moderniserad språkform): "...när han som kommenderar bataljonen befaller: Gör eder färdiga!, så högbärer pikenerarna sina pikar, avancerandes intill dess han /bataljonen/ kommer fienden på 70 steg när. Så snart som det befalles: De två eftersta lederna, lägg an!, stiga de två eftersta lederna /fram/ och dubblera i de två främsta lederna. Så snart de två eftersta lederna ha givit Feuer, draga de ut sina värjor. Och så snart som de två främsta lederna ha avancerat, sluta sig de två eftersta lederna tätt bakom de två främsta lederna, slutandes i det samma bataljonen alla sina rotar /rote = en rad soldater i djupled/ /och/ marscherar så med slutna rotar och leder på fienden intill dess han /den/ kommer fienden på 30 steg när. Då befalles: De två främsta lederna, lägg an! Så snart de ha skjutit, draga de ut värjorna och bryta så in med fienden." Efter 1701 ändrades detta stridssätt endast såtillvida att positionen för den andra salvan flyttades ännu närmare fienden, eller som Stenbock reglementariskt formulerade det 1710: "/De två främsta leden/ skjuta ej förrän de så nära äro, att de fienden med bajonetten räcka kunna. Sedan de nu sitt skått lossat hafva, lär igenom Guds bistånd inga många af de mötande öfrige finnas."

Framryckningen under oavbruten beskjutning som inte fick besvaras, förrän man var endast ca 50 meter från fiendens linje, fordrade naturligtvis en järnhård disciplin av Karl XII:s soldater – och hade kanske överhuvudtaget inte varit psykiskt möjlig, om de inte dessutom haft ett djupt rotat förtroende till sin anfallsmetods effektivitet. Ty den var nästan alltid oerhört effektiv. Den första salvan, när den slutligen kom, slog väldiga hål i fiendeleden. Och de som inte dödats eller sårats av den första salvan brukade inte stå kvar för att möta den andra – som, insåg de, skulle bli långt mer förödande och omedelbart följas av pikenerarnas breda inbrytning med sina ohyggliga närstridsvapen.

Vi observerar att eldgivningen tilldelats en betydligt mindre roll, i varje fall kvantitativt sett, i det karolinska infanteriets föreskrivna anfallsmetod än striden med blanka vapen. Reglementsenligt skulle ju varje musketerare lossa ett enda skott före inbrytningen och sedan slutföra striden med värjan eller bajonetten. Lägg härtill, att pikenerarna – en tredjedel av bataljonen – inte blivit utrustade med annat än blanka vapen.

Den karolinska bataljonens eldgivningsmetod tillät, observerar vi också, ett väsentligt högre anfallstempo än epokens metod för kontinuerlig eldgivning. Denna innebar, schematiskt beskriven, att bataljonen indelats på längden i exempelvis åtta (eller fyra eller sexton) lika manstarka delar (plutoner) – som vi här kan benämna 1–8 i ordning från vänster – och att successivt plutonerna 1 och 5, 2 och 6, 3 och 7 osv gav eld, medan övriga plutoner laddade om så fort de hann. Eftersom hela bataljonen måste stanna upp varje gång som någon del av den skulle till att skjuta, gick framryckningen jämförelsevis långsamt. En karolinsk infanterilinje däremot behövde inte göra halt för eldgivning mer än två gånger under hela anfallsrörelsen.

Sin framställning av det kontinentala infanteriets stridssätt sammanfattar Generalstabsverket i bilden av en "stillastående, kontramarscherande och ständigt eldgivande" linje. I ljuset av den utländska och den nyaste svenska forskningens resultat framstår denna bild som både karikatyrartad och i sak till stor del oriktig. Inget dåtida infanteri använde sig någonsin av "kontramarsch", en metod för kontinuerlig eldgivning som längesen hade ersatts av plutonseldtekniken. Marlboroughs brittisk-tysk-holländska infanteri liksom det danska, det sachsiska och – i början av kriget – det ryska infanteriet kan träffande beskrivas som "ständigt eldgivande" under strid, men inte det franska och inte Eugens österrikiska infanteri. Och "stillastående" förhöll sig sällan Marlboroughs och Eugens bataljoner på slagfältet utan avancerade vanligen under eldgivning (plutonvis respektive ledvis utförd) stadigt mot fienden, medan de franska bataljonerna normalt stred på "österrikiskt" sätt men emellanåt också på "svenskt" – och det ryska infanteriet efter de första krigsåren omskolades till ett normalstridssätt som helt liknade det svenska infanteriets!

Det svenska kavalleriet hade, hävdar Generalstabsverket, "så gott som ensamt i Europa tillägnat sig det först långt senare moderna stridssätt, som består av anfall i fyrsprång med värjan i handen. Det var då icke underligt, att det mången gång kom att få en lätt strid med samtidens kavalleri, som nästan undantagslöst förhöll sig defensivt, som icke kunde röra sig i hastigare takt än manövergalopp, som bildade fyrkant och karakollerade."

I denna verkningsfullt polariserade bild har inte mycket lämnats oantastat av den nyaste forskningen, vars resultat kan sammanfattas som följer.

Karl XII:s skvadroner anföll veterligen alltid med endast värjan i hand, dvs utan någon eldgivning före sammanstötningen med fiendekavalleriet. Men det

Del av Karl XI:s egenhändiga koncept till förordningen om "Det Nya Maneret att träffa med en Battaillon". Krigsarkivet. Foto Krigsarkivet.

gjorde också Marlboroughs. Och det var jämförelsevis vanligt att se danska, österrikiska och franska skvadroner anfalla på detta sätt. Bara vid det sachsiska och det ryska kavalleriet syns eldgivning före sammanstötningen ha varit regel. Men varken där eller vid något annat europeiskt kavalleri förekom det under denna epok vare sig "fyrkantsbildning" (en formering uteslutande för defensivstrid) eller "karakollering" (en kavallerimetod för kontinuerlig eldgivning).

De karolinska skvadronernas tempo vid inbrytningen var under de första åren av Stora nordiska kriget vanligen inte fyrsprång (full galopp) utan trav. Först omkring 1705 blev fyrsprång deras normala tempo under framryckningens sista fas. Den utvecklingen var emellertid inte unik i periodens Europa. Ungefär samtidigt som vid Karl XII:s skvadroner blev den fulla galoppen normalt anfallstempo även vid Eugens kavalleri. Det förekom också allt oftare vid

Marlboroughs armé och den franska armén att mindre grupper av skvadroner red till attack i högsta möjliga tempo. Dock var och förblev trav kavalleriets normala anfallstempo under perioden i alla Europas arméer utom den svenska och den österrikiska (det bör påpekas att Marlborough medvetet föredrog trav framför ett högre tempo, eftersom han ansåg att kavalleriets framgång i anfall berodde mindre på dess fart än på dess sammanhållning inom skvadronerna och i slagordningen (linjen): en sammanhållning som var svår att bevara redan i trav och nästan omöjlig att bevara mer än något hundratal meter under galopp).

Epokens mest offensiva normalstridssätt för kavalleri finner vi alltså i den svenska armén. Karl XII:s kavalleri var också sin tids effektivaste slagfältskavalleri, beroende på att det i anfall förenade högsta möjliga tempo med en tätare skvadronsformering än något annat kavalleri kunde prestera. Men dess stridssätt var inte, som Generalstabsverket hävdar, till själva arten skiljaktigt från det som praktiserades av kavalleriet i Spanska tronföljdskrigets härar.

Den stridstaktiska teorin
Arméstridstaktikens teori var i den tidens Europa inte något som formulerades på papper. Vill vi få kunskap om den stridstaktiska doktrinens grundläggande karaktär — om den var inriktad mest på anfall eller mest på försvar, och om graden av dess offensiva eller defensiva inriktning — vid någon dåtida europeisk armé, måste vi försöka rekonstruera den genom deduktion från vad vi vet om stridsenheternas beväpning, normala formering och gruppering för strid och normala stridssätt. Och härvid måste vi förutsätta existensen av ett rationellt sammanhang mellan teori och praktik: ett realistiskt, men ingalunda oangripligt, postulat. Här skall nu redovisas den senaste forskningens deduktionsvis vunna bild av den karolinska och den samtida europeiska arméstridstaktikens teori.

Den stridstaktiska doktrinen vid Karl XII:s armé var starkt offensivinriktad. Karaktäristiken grundar

sig främst på infanteriets beväpning och på dettas och kavalleriets normala stridssätt. Den underbyggs dessutom av vad som är känt om kungens sätt att använda sitt *artilleri*. Han gjorde bruk av det mot befästningsverk och mot förskansad eller annars svåråtkomlig trupp, men använde det nästan aldrig i strid på öppen mark, eftersom han ansåg att dess eldkraft inte där kunde uppväga dess (genom trögrörligheten) kraftigt bromsande verkan på infanteriets och kavalleriets anfallsrörelse. I övriga europeiska arméer fyllde artilleriet däremot viktiga funktioner även i rena fältslag.

Så långt är den aktuella rekonstruktionen förenlig med Generalstabsverkets framställning av epokens stridstaktiska doktriner. Bennedich och hans medarbetare har emellertid uppenbart fel, när de karaktäriserar den stridstaktiska teorin utanför svenska armén som defensivt orienterad. Detta var den ingenstans i den tidens Europa, låt vara att den karolinska arméstridstaktikens teori ter sig ännu mer offensivinriktad än Marlboroughs, Eugens och den franska arméns stridstaktiska doktrin samt i ojämförligt högre grad inriktad på anfall än motsvarande doktrin vid den danska, den sachsiska och – före 1708 – den ryska armén.

Om arten av Karl XII:s stridstaktiska tänkesätt finns det för övrigt också ett bevarat vittnesbörd av en karolinsk officer, överstelöjtnant Peter Schönström (1682–1746), vilket här avslutningsvis skall återges. Det motsäger inte på någon punkt den deduktivt vunna bilden. Kungen tyckte enligt Schönström (här citerad i lätt moderniserad språkform) "aldrig om stycken /artilleripjäser/ i bataljer på släta fältet utan höll dem endast vara tjänliga till passers forcerande och fästningars intagande och försvarande. Han höll före, att om en liten armé skulle övervinna en stor, skulle det ske med hastigt och modigt anfall, vid vilka tillfällen man inte hade tid att bruka stycken. Man finner, det konungen vunnit alla sina aktioner utan stycken. Endaste /tillfällena/ varvid han dem brukade var vid Düna, Holovzin/s/ och Desna strömmars övergående och därvid förefallande slaktningar.

Kavalleriet ville han, det de aldrig vid fiendens angripande skulle skjuta utan bruka värjorna. Infanteriet ville han, att de inte skulle skjuta, förrän de sågo de vita på ögat på sin fiende. Och sedan den första salvan var given, ville han, att de skulle angripa fienden med deras pikar, bajonetter och värjor."

Svenskt och europeiskt i karolinsk arméstridstaktik (1690–1720)

Den internationellt jämförande primärforskning som här refererats har i den karolinska arméstridstaktiken identifierat två betydelsefulla element som kan anses för specifikt och ursprungligt nationella. Dessa element är "Det Nya Maneret", dvs infanteriets dynamiska anfallsmetod – som visserligen inte förblev exklusivt svensk, då ju den under kriget adopterades av ryska armén – samt kavalleriets extremt täta stridsformering "knä bakom knä".

Den karolinska arméns institutionella taktik var emellertid, som helhet betraktad, inte så djupt olik den i övriga Europa som Generalstabsverket vill göra gällande. Även vid den franska, den österrikiska och den allierade (brittisk-tysk-holländska) armén – liksom from 1708 vid ryska infanteriet – var normaltaktiken typiskt offensiv. Skillnaden mellan den svenska och den kontinentala arméstridstaktiken representerar m a o inte den fundamentala olikheten mellan ett offensivt och ett defensivt inriktat system utan var en skillnad i graden av offensiv karaktär. Men denna skillnad var betydande. Den institutionella taktiken vid Karl XII:s armé framstår som Europas i särklass mest offensiva under epoken.

Två frågor

Behandlingen av artikelns egentliga ämne är nu slutförd, men själva artikeln skall förlängas något. Anledningen är att jag här också vill behandla två frågor som jag tror har väckts hos åtskilliga läsare. Den ena av dessa frågor kan formuleras: *Hur kom det sig att den karolinska arméstridstaktiken blev så offensiv?*

Låt mig först redovisa en tänkbar förklaring som varken kan falsifieras eller verifieras. Jag nämner den av det skälet att den hänför sig till alltjämt livskraftiga föreställningar som varit en integrerad del av oräkneliga militärers och krigshistorikers världsbild sedan mitten av 1600-talet, nämligen föreställningarna att soldaterna från vissa nationer skulle i kraft av sitt "nationella temperament" vara särskilt benägna och lämpade för vissa typer av krigföring. Så skulle exempelvis fransmän, svenskar och irländare vara mest till sin fördel i anfallsstrid, medan exempelvis engelsmän och ryssar skulle visa sina bästa sidor i defensiva stridsuppgifter. Det är sannolikt att även Karl XI och Karl XII haft föreställningar om sitt folks "mentalitet", men om dessa föreställningars art och eventuella militära betydelse vet vi ingenting.

En annan tänkbar förklaring – som inte är oförenlig med den nyss redovisade – tillhandahåller Schönström i sin ovan citerade berättelse. Där tillskrivs, som vi minns, Karl XII uppfattningen att det på slagfältet endast genom "hastigt och modigt anfall" var möjligt för "en liten armé" att besegra "en stor". Om vi med säkerhet visste att Karl XII och hans far har sett det så, då skulle vi här äga en potentiellt restlös förklaring till den karolinska arméstridstaktikens starkt offensiva karaktär. Men vi kan alltså inte vara säkra på att Schönström är vittnesgill här, och den av honom erbjudna förklaringen kan inte anses för mer än just "tänkbar".

Generalstabsverket vill förklara den karolinska arméstridstaktiken som en rationell produkt av "erfarenheten från Sveriges egna krig", vilka sägs ha demonstrerat "nödvändigheten för vår del av hastiga avgöranden". Det var den "nödvändigheten", en följd av de potentiella fiendestaternas stora antal i förening med rikets långa landgräns och relativa brist på folk (egna soldater) och pengar (för soldatvärvning utomlands), som alltså gjorde den svenska arméstridstaktiken så offensiv. Förklaringen är besläktad med den som tillhandahålls av Schönström, men denna går inte

Infanteriet och kavalleriet formerades och grupperades för strid normalt i linje under epoken.
D. A. Stawerts oljemålning Övergången av Düna 1701 (dat. 1707 Drottningholm) ger i detta
avseende en trogen bild av verkligheten. Foto Statens konstmuseer.

utanför det rent taktiska sammanhanget, medan Generalstabsverket främst hänvisar till förhållanden av strategisk natur. Dess förklaring stöds emellertid inte av något redovisat källmaterial och bör karaktäriseras som en visserligen plausibel, men obevisad och sannolikt obevisbar, hypotes.

Den senaste forskningen presenterar också ett för-sök att besvara frågan, men ett som följer andra linjer. Det tar fasta på den offensiva karolinska stridstaktikens oerhört hårda krav på soldaternas mod och kollektiva disciplin, krav så hårda att de syns möjliga endast inom en armé med en mycket lång segertradition i anfallsstrid. Den övermodigt aggressiva stridstaktiken vid Karl XII:s armé skulle m a o ha en utveck-

Anfall med djup slagordning i epokens Europa. Linjeformerade och kolonngrupperade svenska bataljoner och skvadroner framrycker mot den ryska befästningslinjen vid Narva 1700. Oljemålning 1701 av D. A. Stawert. Drottningholm. Foto Schmidt, Livrustkammaren.

lingshistoria som börjar redan vid Breitenfeld 1631 och i vilken Karl XI och Karl XII tilldelas kodifierande snarare än innovativa roller. Detta mindre aktörsorienterade försök att förklara, varför den karolinska arméstridstaktiken var så offensiv, är emellertid inte mer prövbart empiriskt än något som här tidigare redovisats.

Sammanfattningsvis konstaterar vi alltså att den fullständiga bristen på relevanta skriftliga utsagor från Karl XI och Karl XII själva gör det omöjligt att besvara den aktuella frågan med annat än hypoteser.

Den andra frågan kan formuleras: *Vad har den svenska arméstridstaktiken haft för inflytande på Stora nordiska krigets förlopp och slutliga utgång?* Svårigheterna att besvara den är uppenbara, och inget svar kan undgå att bli personligt strukturerat, mycket ofullständigt och överhuvudtaget vidöppet för vetenskaplig kritik. Men frågan syns mig viktig nog att motivera något slags försök till svar. Här följer ett sådant försök.

Som jag tyder berörda sammanhang, har infanteriets och kavalleriets stridstaktik varit den viktigaste faktorn i den svenska arméns nästan oavbrutna framgång på slagfälten i Estland, Livland, Polen och Sachsen 1700–06, en framgång utan vilken det ryska fälttåget inte skulle ha blivit praktiskt möjligt. Denna stridstaktiks effektivitet har också väsentligt bidragit till att hos Karl XII skapa övertygelsen att hans armé var oemotståndlig även i strid med flerfaldigt större truppmassor, och denna övertygelse har i sin tur varit en nödvändig betingelse för hans beslut att invadera Ryssland.

Paradoxalt nog fick den svenska arméstridstaktiken sin kanske största historiska betydelse, sedan infanteriets stridssätt adopterats vid den *ryska* armén och from 1708 börjat tillämpas mot de svenska bataljonerna själva. När dynamiken i detta stridssätt kombinerades med det ryska infanteriets mycket stora kvantitativa övermakt, då var kriget i öster förlorat för Sverige. Poltavaslaget avgjorde m a o inte det ryska fälttåget, det bekräftade ett avgörande som redan skett.

Det svenska infanteriets undergång vid Poltava kunde ha förhindrats av elden från svenska kanoner. *Artilleriet* vid Karl XII:s armé var inte starkt i antal pjäser, men effektivt i sin eldgivning och vid Poltava välförsörjt med ammunition. I slaget var det emellertid representerat med endast fyra pjäser. Detta förhållande kan tjäna som exempel på hur kungen normalt använde sitt artilleri – och belyser den enda, men betydelsefulla, defekten i den karolinska arméns stridstaktiska system.

REFERENSER

Om arméstridstaktiken i Sverige och övriga Europa under epoken:

Artéus, Gunnar, *Krigsteori och historisk förklaring 2. Karolinsk och europeisk stridstaktik 1700–1712.* 1972 (Meddelanden från Historiska institutionen i Göteborg 5) och där redovisat källmaterial och anförda utländska arbeten.

Hedberg, Jonas & Medwedjev, Georg, *Artilleriet – en avgörande faktor i Poltavaslaget* (i Karolinska förbundets årsbok 1961). Citaten av Cronstedt och Schönström återfinns bl a här.

Karl XII på slagfältet. Karolinsk slagledning sedd mot bakgrunden av taktikens utveckling från äldsta tider. /Utg av/ Generalstaben. 1918–19. Citaten återfinns på s 207 och 241.

Wernstedt, Folke, *Lineartaktik och karolinsk taktik. Några reflexioner med anledning av framställ-* ningen i ”*Karl XII på slagfältet*” (i Karolinska förbundets årsbok 1957).

Om rysk efterbildning av andra svenska institutioner under epoken:

Peterson, Claes, *Peter the Great's administrative and judicial reforms. Swedish antecedents and the process of reception.* 1979 (Skrifter utg av Institutet för rättshistorisk forskning. Ser 1:29).

Om ”Karl XII-renässansen”, exempelvis:

Artéus, Gunnar, *Krigsteori och historisk förklaring 1. Kring Karl XII:s ryska fälttåg.* 1970 (Meddelanden från Historiska institutionen i Göteborg 3).

Lönnroth, Erik, *Borggårdskrisen 1914 och Karl XII* (i Dagens Nyheter 15/11 1955. Omtr i förf:s Historia och dikt. Essayer. 1959).

Torbacke, Jarl, ”*Försvaret främst”. Tre studier till belysning av borggårdskrisens problematik.* 1983 (Stockholm studies in history 30).

Stormaktstidens förvaltning – organisationsförändringar och utvecklingslinjer

Anna-Brita Lövgren

Svea och Göta hovrätt, kammarkollegiet, kommerskollegiet, statskontoret, lantmäteriets olika organ, länsstyrelserna är välbekanta myndigheter i dagens svenska samhälle. Gemensamt för dem är att de inrättades under 1600-talet och fortfarande fungerar, om än i vissa fall med starkt förändrade arbetsuppgifter. De utgör en del av den livskraftiga förvaltning, som byggdes upp under detta stormaktstidens århundrade. Grunden var redan lagd men då utbyggdes administrationen till att omfatta fler och vidgade verksamhetsområden på det centrala, regionala och lokala planet, den differentierades genom att fler specialorgan inrättades och den blev formaliserad samt fastare och mera detaljerat reglerad. Den utformning den centrala förvaltningen därvid fick behöll den i sina huvuddrag fram till departementalreformen 1840. Denna reform i sin tur följde principer som aktualiserats under senare delen av stormaktstiden. Sett ur den svenska förvaltningens synpunkt är 1600-talet ett utomordentligt viktigt och expansivt århundrade. Det är heller ingen tillfällighet att en expansion inom detta område ägde rum just i samband med att Sverige utvecklades till stormakt; den militära anspänningen kostade pengar och krävde planering och manskap: staten behövde kanaler genom vilka den kunde få skatter, tullar och acciser effektivt fastställda, bevakade och inlevererade, den behövde organ för ledningen av befästningsanläggningar, flottans utbyggnad, de militära frågorna över huvud taget och den behövde medel att kontrollera främst den manliga delen av befolkningen, de potentiella soldaterna. Det krävdes med andra ord mer av förvaltningen och dess utveckling kan ses som ett svar på denna utmaning.

I det följande redogörs kortfattat för hur förvaltningens organisation förändrades under stormaktstiden och några viktiga utvecklingslinjer uppmärksammas.

Utgångsläget

Vid Gustav II Adolfs trontillträde 1611 utgjordes centralförvaltningen i sin helhet av kung och råd samt det kungliga kansliet och den kungliga kammaren, uppdelad i räntekammaren för uppbörden och räknekammaren för kontrollen av fogdarna. Över det hela vilade ett drag av improvisation: reglerande instruktioner saknades i stort och rådsherrarna, som visserligen av Karl IX i ökande grad tagits i anspråk mera kontinuerligt för uppgifter av olika slag, var i ytterst få fall knutna till speciella ämbeten. Drots, marsk, amiral, kansler och skattmästare – senare kända som de fem höga riksämbetsmännen – utnämndes t ex av Karl IX men det var endast skattmästaren som kontinuerligt var verksam i enlighet med sin titel. Det hade förekommit försök till specialisering och fastare och enhetliga rutiner, främst vad gällde den högsta judiciella makten som utövades av kung och/eller riksråd i skiftande kombinationer. Gustav Vasa hade härför inrättat ett regementsråd 1538 och Erik XIV konungens höga nämnd 1561 och i början av 1600-talet hade Karl IX delegerat den kungliga domsrätten till ting med deltagande rådsherrar. Inget av dessa organisationsförsök hade dock gett upphov till bestående förbättringar.

Förändringar under Gustav II Adolfs tid

Under 1610-, 20- och 30-talen kom så förändringarna slag i slag: genom 1614 års rättegångsordinantia inrättades hovrätten som ytterligare reglerades genom 1615 års rättegångsprocess. 1618 års kammarordning och 1626 års kansliordning lämnade föreskrifter för arbetet i kammaren respektive kansliet och 1634 års regeringsform slutligen, som rörde förvaltningen i dess helhet, fördelade de offentliga uppgifterna mellan olika organ. Regeringsformen fastställde även den yttre ramen för den regionala och lokala förvaltningen, den s k lantregeringen, och året därpå, 1635, utfärdades en speciell instruktion för landshövdingarna.

I och med Svea hovrätts tillkomst infördes många nyheter som blev vägledande för det följande organisationsarbetet:

– För det första fick man ett specialorgan, en permanent myndighet, som det ålåg att självständigt lösa vissa bestämda uppgifter som tidigare vilat på kung och råd. Enligt 1614 års rättegångsordinantia skulle hovrätten, vars jurisdiktionsområde omfattade hela riket, utgöra högsta instansen, dvs utöva den kungliga domsrätten. 1615 års rättegångsprocess ändrade emellertid detta förhållande så att revision av hovrättens dom kunde sökas hos kungen. Den högsta judiciella makten låg därmed åter i kungens och rådets händer. Vad som vanns var att en stor mängd ärenden nu slutligt avgjordes utan att tas upp av rikets högsta myndighet och att de rättsfall som gick vidare dit var bättre förberedda. Eftersom hovrättens kompetensområde noggrant bestämdes och gränser mot andra domstolar drogs, åstadkoms också en fast instansordning.

– För det andra: för att hovrätten skulle kunna uträtta sin viktiga uppgift reglerades noga dess sammansättning och hur beslut skulle fattas. Domstolen skulle bestå av 14 ledamöter med riksdrotsen som preses. Av de övriga skulle ytterligare fyra vara riksråd, fem skulle vara adelsmän utanför rådet och de fyra återstående, de ofrälse, skulle vara "lärda och lagfarna män". I 1615 års rättegångsprocess underströks att alla 14 domarna – adelsmän som ofrälse – skulle vara nogsamt kvalificerade att bekläda domarämbetet. Det ställdes alltså krav på kompetensen, fördelningen adel–ofrälse reglerades – en fråga av vikt i en tid då adelståndet kämpade för ensamrätt till högre ämbeten – och framför allt knöts hovrätten till rådet genom de deltagande rådsherrarna med riksdrotsen, vilken här för första gången fick bestämda arbetsuppgifter i sitt ämbete. Beslut skulle fattas genom omröstning av de 14 domarna enligt fastställd ordningsföljd; det var den ute i Europa vanliga kollegiala organisationen som efter vissa tidigare ansatser nu för första gången genomfördes helt i Sverige.

– För det tredje reglerades hovrättens verksamhet på ett tidigare okänt sätt: föreskrifter gavs om antalet sessioner, deras längd och tider för sammanträden, om protokollföring och något senare om skriftligt angivande av avvikande mening vid kollegial omröstning.

Kammarordningen och kansliordningen medförde samma nyheter för kammaren respektive kansliet. Båda fick väl definierade arbetsuppgifter med gränser dragna gentemot andra organ, kollegial organisation och beslutsordning med riksskattmästaren respektive rikskanslern som preses och länk till rådet samt detaljföreskrifter om verksamhetens bedrivande.

Regeringsformen 1634 och landshövdingeinstruktionen 1635

1634 års regeringsform sammanfattade den utveckling som ägt rum och systematiserade förvaltningen i dess helhet. Den organiserade på central nivå fem ämbetsverk, kollegier, nämligen Svea hovrätt, krigskollegiet, amiralitetskollegiet, kanslikollegiet och kammarkollegiet. De hade samtliga kollegial organisation; beslut skulle alltså fattas gemensamt. Kollegierna knöts till rådet genom att de förnämsta rådsherrarna, de fem höga riksämbetsmännen, nämligen riksdrotsen, riks-marsken, riksamiralen, rikskanslern och riksskattmäs-taren, blev chefer samt genom att ytterligare ett bestämt antal rådsherrar skulle verka inom de olika kollegierna – som tidigare fyra i hovrätten, lika många i kanslikollegiet och två i vardera av de tre övriga. Det var alltså i allt 19 riksråd som fick sin dagliga verksam-het förlagd till centralförvaltningen. De flesta rådsher-rarna blev härigenom tillika ämbetsmän i huvudsta-den, där kollegierna enligt uttryckligt stadgande skulle vara stationerade. Liksom i hovrätten fanns i de övriga kollegierna dessutom ett antal ledamöter som inte var riksråd; regeringsformen föreskrev hur många det skulle vara i respektive fall och hur många av dessa som skulle tillhöra adeln. På central nivå hade härmed inrättats specialorgan för olika grenar av riksstyrelsen. I praktiken innebar detta att Kungl Maj:t delegerat beslut i vissa ärenden och att andra ärenden, i vilka beslut fortfarande fattades av regenten, tillförsäkrades en fackmässig beredning.

De fem kollegierna stod på samma nivå, ett steg under kung och råd. Kansliet kom dock snart att inta en särställning genom att där öppnades och fördelades post ställd till Kungl Maj:t samt expedierades, dvs renskrevs, kontrasignerades och framlämnades för underskrift, de utgående skrivelser som krävde kung-ens namnteckning. I 1626 års kansliordning hade detta ej avsetts men efter någon vacklan blev det praxis.

Regeringsformen reglerade också förvaltningen, rättskipningen och krigsmakten i landsorten och anvi-sade vilket kollegium som skulle kontrollera respek-tive lokal myndighet och i vilka former. En ny regional myndighet fick därmed sitt genombrott, nämligen länsstyrelsen med landshövdingen som kungens ställföreträdare, hans befallningshavande. Detta var slutpunkten i en lång utveckling. Läntagare av medeltida slag, fogdar, ståthållare och tidigare landshövdingar hade haft skiftande uppgifter, ofta för-ändrade distrikt och ibland oklar inbördes ställning. Nu blev det *en* myndighet som var en fast institution

med bestämda väl avgränsade åligganden. Regerings-formen reglerade indelningen i län och skilde ut lands-hövdingens kompetensområde från andra myndighe-ters: han fick inte blanda sig i det militära befälet eller utöva dömande myndighet, vilken ålåg de olika dom-stolarna. Dessa var i instansordning: häradsrätten på landsbygden respektive rådhusrätten med den därun-der stående kämnärsrätten i städerna, lagmansrätten, hovrätten och slutligen Kungl Maj:t, hos vilken revi-sion kunde sökas. För landshövdingen var det liksom för ämbetsmännen i huvudstadens kollegier fråga om en specialtjänst på heltid.

Landshövdingen fick som framgått inga militära befogenheter. Men 1600-talet var ett krigiskt århund-rade och i gränstrakterna krävdes effektiv beredskap. Där samlades därför vid behov de civila och militära uppgifterna hos *en* person med titeln guvernör eller, om det gällde flera län, generalguvernör.

Föreskrifter mera i detalj erhöll landshövdingarna i en särskild instruktion i nära anslutning till regerings-formen. Denna instruktion utfärdades 1635 och också den var ett uttryck för att länsstyrelserna skulle ordnas likformigt över hela riket. Tidigare hade instruktion utfärdats vid behov till enskilda ståthållare, landshöv-dingar etc och som de utformats med hänsyn till det enskilda fallet hade de blivit oliklydande. Nu erhöll samtliga landshövdingar identisk instruktion.

Till skillnad från kollegierna i centralförvaltningen organiserades inte länsstyrelserna kollegialt. Lands-hövdingen ensam fattade besluten även om han till sin hjälp hade två biträden, nämligen en bokhållare för uppsikten över kronans inkomster och egendom – denne skulle bl a föra jordebok och landsbok – och en sekreterare för kansligöromålen. Bokhållaren och sek-reteraren blev ursprunget till den senare uppdelningen av länsstyrelsen i landskontor och landskansli, en indelning som med underindelning var kvar fram till den senaste genomgripande omorganisationen av läns-styrelsen 1971.

Sedan förvaltningen på detta sätt ordnats och syste-

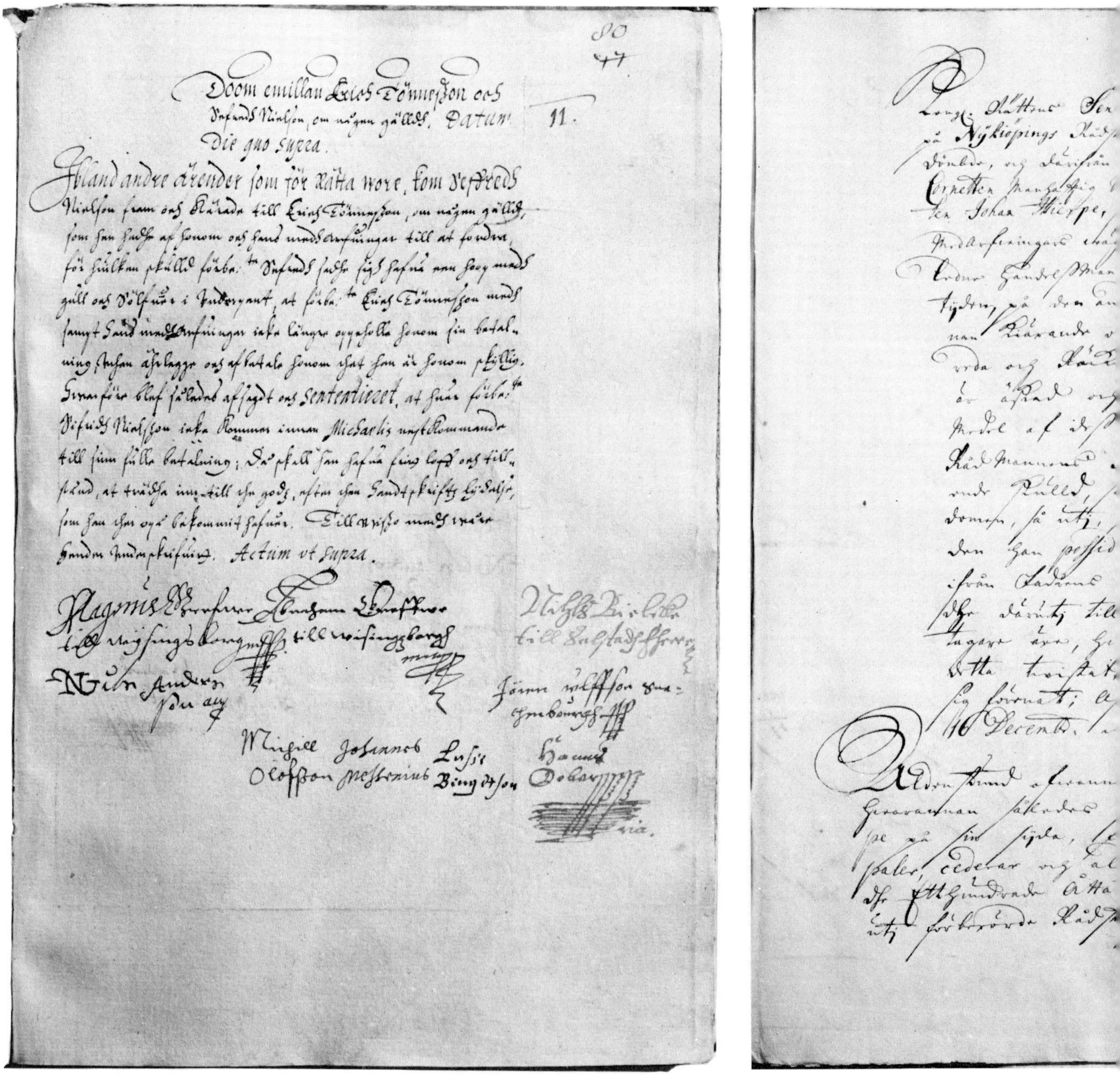

De här två domarna i Svea hovrätt från rättens första verksamhetsår 1614 respektive från 1699 illustrerar hur kravet på antalet assessorer förändras. Från början stadgades att minst 8 domare skulle delta för att hovrätten skulle vara domför, 1686–87 sänktes antalet till minst 7 och 1699 till minst 4. Svea Hovrätts huvudarkiv. Riksarkivet. Foto Riksarkivet.

matiserats genomfördes vissa organisatoriska föränd-
ringar orsakade dels av rikets tillväxt, dels av att ytter-
ligare specialisering behövdes. Det blev t ex nödvän-
digt med mer än en hovrätt och så tillkom en i Åbo
1623 för Finland, en i Dorpat 1630 för det på 1620-
talet erövrade Livland och det 1617 erhållna Inger-
manland och Göta hovrätt i Jönköping 1634. Även
inom det kungliga kansliets organisation märks att nya
territorier lades till det tidigare området. Enligt 1626
års kansliordning skulle det finnas tre kungliga sekre-
terare, var och en för ärenden rörande ett bestämt
geografiskt område, nämligen en för Sverige och Dan-
mark, en för Finland, de baltiska länderna samt Polen
och Ryssland och slutligen en för övriga främmande
länder. 1651 fick kansliet en ny ordning. Den ökade
antalet sekreterare med en för de tyska provinser Sve-
rige just förvärvat. Och i 1661 års nya kansliordning,
tillkommen omedelbart efter frederna i Roskilde och
Köpenhamn, fanns upptagen en sekreterare för de
skånska provinserna, som därvid tillfallit Sverige. Vid
1600-talets mitt inrättades ytterligare kollegier. Kam-
markollegiet befanns ha alltför vittomspännande
intresseområde varför vissa delar bröts ut: för frågor
rörande bergsbruket bildades bergskollegiet och för
ärenden rörande handel och sjöfart kommerskollegiet.

Kungen, rådet och kollegierna

Som framgått fanns det ett ständigt samband mellan
rådet och kollegierna i det att i de senare dels chefen,
dels därutöver ett bestämt antal ledamöter tillika var
riksråd. De hovrätter som inrättades för att avlasta
Svea hovrätt fick även de på samma sätt kontakt med
rådet, även om den på grund av det geografiska avstån-
det inte kunde utnyttjas lika ofta. Generalguvernö-
rerna i rikets gränsprovinser tillhörde också nästan
undantagslöst rådet men även om dem gäller att de
endast periodvis kunde delta i dess sammanträden.
Om det alltså inte var möjligt för alla rådsherrar att
kontinuerligt närvara i rådet – något som för övrigt
aldrig kan ha varit avsikten – var det dock så att man

där hade företrädare för olika delar av riksstyrelsen.
Detta effektiviserade självklart beslutsfattande på högs-
ta nivå, både under de perioder då myndig regent
hörde sitt råd och under de två långa förmyndarrege-
ringarna, för Kristina respektive för Karl XI, då rege-
ringen utgjordes av de fem höga riksämbetsmännen;
under Karl XI:s minderårighet ingick även änkedrott-
ningen. Då myndig regent saknades hänsköts fler frå-
gor än annars till rådet som helhet, som därmed invol-
verades mer i rikets styrelse. Speciellt under Karl XI:s
minorennitet fungerade rådet till stor del som rege-
ring. För rådet betydde detta att arbetsbördan ökade.
Också rådet fungerade som ett kollegium, dvs man
fattade gemensamt beslut. Även om det inte fanns
föreskrifter om hur många som måste vara närvarande
för att beslutet skulle bli giltigt, innebar det kollegiala
systemet i sig att inte alltför få skulle delta. Det kändes
möjligen också lugnast för rådsledamöterna att
gemensamt stå bakom beslut som kunde bli klandrade
efter minorennitetens slut.

En särställning intog de många judiciella målen, de i
vilka man hos Kungl Maj:t sökte revision av hovrät-
tens dom. De var mycket tidskrävande, i synnerhet
under de långa förmyndarregeringarna. Den högsta
domsrätten låg nämligen då hos rådet som helhet och
man kände sig bunden av att det skulle ingå 12 råds-
herrar i rådet då det fungerade som domstol på samma
sätt som det i häradsrätten respektive lagmansrätten
satt 12 nämndemän. I dessa ärenden var alltså kravet
på deltagande extra markerat. Eftersom de flesta råds-
herrarna dessutom hade uppgifter utanför rådet var
det många gånger svårt att samla ett tillräckligt antal.
Man försökte lösa detta problem genom att effektivi-
sera och fördjupa *beredandet* av målen och under
1660-talet byggdes en avdelning inom det kungliga
kansliet upp för detta ändamål. Därjämte förekom det
att man lät ett mindre antal riksråd *avgöra* vissa mål
och ärenden, nämligen mål av ringa betydelse, mål i
vilka man hade klar ledning av tidigare beslut samt
vissa direkt angivna mål.

Det var inte endast rådet som ibland var fåtaligt därför att vissa rådsherrar var upptagna av andra uppgifter, det var också så att man i kollegierna ibland saknade de kollegieledamöter som tillhörde rådet. Det förekom t ex att man avkunnade domar i Svea hovrätt utan av någon av domstolens assessorer av riksrådsklassen deltog.

En myndig regent hanterade dessa problem friare. Så t ex delegerade Karl X Gustav 1659 under sin frånvaro från huvudstaden under kriget mot Danmark revisionsärendena inte till rådet som helhet utan till en dömande kommission, som bestod av både riksråd och icke riksråd. Karl XI i sin tur uppdrog 1678 från fältlägret – ett nytt krig mot Danmark var på gång – åt sju namngivna riksråd att avhjälpa de hopade revisionsärendena. Tre bestämda veckodagar skulle de ägna sig åt dem. Kungen angav uttryckligen att detta inte skulle ses som ett förbud för övriga riksråd att delta – det skulle tvärtom uppskattas om de gjorde det – utan som en effektivitetsbefrämjande åtgärd. Om rådet skulle behöva sammanträda om andra ärenden under dessa veckodagar, skulle de nämnda rådsherrarna trots det hålla sig till sina speciella arbetsuppgifter.

Enväldet och effektivitetskravet
Den uppdelning av rådet som Karl XI här anbefallt fortsatte och vidgades till nya områden. Politiskt blev det möjligt genom det karolinska enväldet. 1680, sedan den unge kungen återvänt till Stockholm efter att ha fört kriget mot Danmark till ett lyckosamt slut, klargjorde ständerna att han var helt obunden av såväl regeringsformen som rådet, vilket han endast behövde höra när han själv så önskade. Dess ändrade ställning markerade han snart därefter genom att kalla rådsherrarna kungliga råd i stället för riksråd. 1682 förklarades han oberoende även i fråga om lagstiftningen och behövde inte längre höra de fyra stånden.

Härmed stod det Karl XI fritt att ordna riksstyrelsen så som han fann gott. Regeringsformens bestäm-

melser om det antal rådsherrar, som skulle delta i de olika kollegiernas arbete och beslut, behövde inte längre följas. I Svea hovrätt, där det tidigare förutom drotsen ingått fyra riksråd, var antalet i början av 1680-talet reducerat till två stycken kungliga råd och snart var det enbart hovrättens chef som var ledamot av rådet. Utvecklingen var densamma för samtliga kollegier. I kanslikollegiet, där det likaledes funnits fyra riksråd jämte rikskanslern, sjönk antalet så att det under 1680- och 90-talen endast fanns ett, under en kortare period två och tidvis inget utan chefen ensam tillhörde rådet. Kammarkollegiet hade under denna period i regel en rådsherre vid chefens sida mot tidigare två och i övriga kollegier kvarstod enbart ett kungligt råd, nämligen kollegiets chef; krigskollegiet saknade tidvis till och med chef av rådsklass.

Samtidigt försvann de gamla riksämbetena successivt. De återbesattes inte när de blev lediga och från och med 1686 var de alla obesatta. Den nya titeln för kollegiernas chefer var det kontinentalt klingande president – hovrättspresident, kanslipresident, kammarpresident etc. Titeln hade tidigare använts i hovrätten och i fråga om den är det helt klart att man i Sverige varit intresserad av utländska motsvarigheters organisation och arbetssätt.

Det minskade antalet rådsherrar i kollegierna äventyrade avsikten med kollegiesystemet, vilken var att kollegiets ledamöter gemensamt var ansvariga för de beslut de gemensamt fattat. I och med att de som deltog i besluten blev betydligt färre till antalet och hade mindre framstående positioner i samhället, ändrades förutsättningarna. Det kollegiala systemet dominerade inte heller längre så som tidigare. Nya organ inrättades för speciella, avgränsade verksamhetsområden och de fick inte kollegiekaraktär utan chefen – också han ofta med titeln president och oftast kungligt råd – var ensam beslutande – såvida frågan inte skulle underställas kungen. Hit hör det 1680 ur kammarkollegiet utbrutna statskontoret, som skulle handha dispositionen och assignerandet av alla rikets räntor.

Reduktionskommissionen, likvidationskommissionen och reduktionsdeputationen tillhör i övrigt de mest kända. De fungerade sida vid sida med kollegierna. Rådets arbetssätt förändrades också som ovan antytts. Ofta fördes diskussioner och fattades beslut i ärenden av olika slag på rådssammanträden till vilka endast en del av de kungliga råden kallats, inte samtliga tillgängliga råd. De som kallades var främst de som genom sin tjänst i förvaltningen – presidenterna i kollegierna, kommissionerna etc tillhörde ju fortfarande rådet – eller genom erfarenhet av annat slag hade bäst kunskap i vad som skulle företas. Det var inte fråga om en inre krets som åtnjöt kungens särskilda förtroende och inte heller fasta avdelningar av rådet. Eftersom det ofta var samma personer som besatt sakkunskap i frågor av visst slag uppkom emellertid en viss fasthet i rådets olika gruppbildningar. Gemensamma beslut i närvaro av alla tillgängliga rådsherrar var det därför långt ifrån alltid tal om. Inte så sällan var det endast fyra till sex närvarande. I slutet av 1690-talet var det t ex en relativt fast grupp om fyra till fem personer som tillsammans med kungen dömde i revisionsmål. Detta förhållande skilde sig markant från förmyndarregeringens krav på 12 man i rådet i dessa ärenden. En parallell utveckling ägde rum i Svea hovrätt där det från början krävdes åtta domare för att rätten skulle vara domför men där detta krav modifierades, först – på 1680-talet – till sju domare och därefter 1699 till endast fyra, under förutsättning att alla var eniga. Här hängde denna förändring samman med att domstolen fick två samtidigt arbetande divisioner. Det gällde då att rättens ledamöter skulle räcka till att göra båda divisionerna domföra. Det kollegiala systemet var således på tillbakagång både i rådet och i kollegierna.

Fastän det således var färre rådsherrar i vart och ett av kollegierna än tidigare var direktkontakten mellan centralförvaltningen och regeringen obruten. De ärenden i vilka kungen skulle fatta beslut expedierades visserligen i kansliet men handläggningen av dem

sköttes av fackmän, oavsett om dessa befann sig i eller utom kansliet. Inom kansliet tillhandahölls sakkunskap främst i utrikespolitiska frågor men också i judiciella, sedan man under 1660-talet byggt upp en beredande enhet härför. I ärenden inom andra områden hämtades normalt sakkunskap utanför kansliet, främst från övriga kollegier och med dem i praktiken jämställda kommissioner och deputationer men ibland även från enskilda ämbetsmän på toppnivå. Då föredragning inför kungen sedan ägde rum, var det mycket ofta presidenten i det kollegium, den kommission etc där beredningen skett, som stod för den. Föredragning skedde antingen enskilt inför kungen utan rådssammanträde eller i rådet. Med eller utan rådssammanträde hade de kungliga råden därför i sin egenskap av ämbetsmän på chefsnivå inom förvaltningen möjlighet att bevaka och påverka vad som hände inom det egna verksamhetsområdet. Det förekom till och med att koncept till kungliga brev utarbetades i detalj utanför kansliet och inlämnades dit blott för renskrivning, kontrasignering och erhållande av kungens underskrift.

Karl XI utnyttjade alltså sina rådsherrar som rådgivare främst inom deras speciella sakområden. Det är i ljuset härav man bör se det förhållandet att ett växlande antal kungliga råd deltog i rådssammanträdena. De som inom sitt ämbete var berörda av de frågor som skulle tas upp eller av olika anledningar kunde förväntas ha nyttiga synpunkter, de kallades, inte alla. Att rådet arbetade på detta sätt måste bero på kravet på effektivitet. Arbetsmässigt vann man mer om de kungliga råd som inte speciellt berördes av de behandlade frågorna fortsatte med sitt trägna arbete inom det egna kollegiet. Politiskt sett var det kungens starka ställning som möjliggjorde detta arbetssätt. Sett i ett europeiskt perspektiv passade Sverige väl in i mönstret: inte heller i Frankrike, England eller det Habsburgska kejsardömet deltog vid denna tid alla tillgängliga råd i samtliga rådssammanträden.

Karl XII och styrelsens ordnande vid krigsutbrottet
På våren år 1700 lämnade den unge Karl XII sin huvudstad för att inte mer återkomma. I samband därmed förordnade han hur olika regeringsärenden skulle skötas i hans frånvaro. "Revisions- och justitiesakerna" uppdrogs inte åt hela rådet utan åt en rådsdelegation på sex ledamöter. Kollegierna fick en självständigare ställning och endast de viktigaste av deras ärenden skulle underställas kungen. Utrikesfrågor skulle beredas i kanslikollegiet och beslutas av Kungl Maj:t. Rådet som helhet skulle endast sammanträda – och besluta – vid särskilt viktiga avgöranden som inte tålde uppskov. Detta var i princip en renodling av det handläggningssätt som redan fungerade.

1713 års kansliordning
Som vanligt då en regent drog i fält delades det kungliga kansliets personal år 1700 på ett hemmakansli till rådets förfogande och ett fältkansli som åtföljde Karl XII. Efter Poltava fick kungen och fältkansliet tid över för fredliga värv och ett av resultaten var en ny kansliordning, som stadfästes 1713 i Timurtasch, ett lustslott nära Adrianopel, där Karl XII så småningom placerats efter kalabaliken i Bender. Nyheterna i denna kansliordning var dels att expeditionsindelningen, dvs fördelningen av ansvarsområden de olika sekreterarna emellan, byggde på saklig grund i stället för som tidigare på territoriell, dels att ombudsrådsbefattningar inrättades i spetsen för expeditionerna. Tidigare hade det i enlighet med 1661 års kansliordning funnits fem expeditioner för vilka ovan har redogjorts. Av dessa hade expeditionen för de skånska provinsernas ärenden försvunnit efter ett fåtal år, den finska expeditionen redan under 1680-talet och den tyska utgjorde snarast en underavdelning under utrikesexpeditionen. Enligt den nya kansliordningen skulle det finnas sex expeditioner, nämligen tre inrikes: krigs-, kammar- och handelsexpeditionerna, två utrikes: första utrikesexpeditionen och tyska expeditionen, och dessutom en revisionsexpedition. Den

sakliga indelningen är tydlig utom i fråga om de båda utrikesexpeditionerna. Den understryks dels av att inkomna skrivelser upptagande ärenden inom olika ämnesområden i tillämpliga delar skulle behandlas inom olika expeditioner, dels av att främmande sändebuds memorial hänfördes till respektive utrikesexpedition endast i de fall de rörde förbund och hjälpsändningar, medan de i övriga fall skulle handläggas under den expedition som ärendets natur krävde. Gällde det t ex en handelsfråga var handelsexpeditionen den rätta, inte någon av utrikesexpeditionerna. Ombudsråden skulle vara föredragande, ansvara för utskrift och kontrasignera. De skulle dessutom inkomma med förslag till förbättringar var och en inom sitt område. Därmed avsågs överväganden rörande sakfrågorna, inte reformer i expeditionens arbetssätt. Ombudsrådet vid krigsexpeditionen skulle t ex vara uppmärksam på hur regementen vid behov skulle kunna uppsättas och bibehållas och hur medel skulle anskaffas till flottans och arméns behov. Ombudsrådet vid handelsexpeditionen var bl a skyldig att överväga åtgärder för handelns främjande.

Inom kansliet hade funnits sakkunskap främst inom det utrikespolitiska och juridiska området. Vad man behövde var motsvarande för andra ärendetyper. Ombudsråden kan ses som ett försök att tillgodose detta behov. Genom dem skulle sakkunskap på olika områden byggas in i kansliet. Detta behov av ämnesrepresentanter i kansliet förklarar också varför det krävdes fler expeditioner. Ingen vare sig hann med eller behärskade ett alltför vidsträckt verksamhetsfält. Ville man ha experter inom olika ämnesområden, var det nödvändigt att begränsa dessa områdens omfång.

Den nya kansliordningen kom aldrig att praktiseras under fredstid med kung och förvaltning i omedelbar närhet av varandra. Det är därför omöjligt att veta hur den skulle fungerat i ett sådant läge. Uppenbart utgjorde den emellertid ett försök att finna en fungerande organisation för fackmannamässig handläggning på regeringsnivå. Genom omorganisationen efter Karl

XII:s död avskars regeringsmakten från direktkontakt med centralförvaltningen, samtidigt som de föredragande sekreterarna i kansliet på nytt sjönk ner till sin föregående nivå utan initiativrätt och sakkunskap rörande beslutens innehåll. Först 1840, efter diverse försök i olika riktningar, fann man genom departementalreformen en lämplig organisation för regeringsärendenas handläggning. 1713 års kansliordning var en föregångare till denna reform, trots betydande olikheter beroende på ett helt annat politiskt klimat: ur kansliets expeditioner utvecklades departement för olika ämnesområden och i spetsen för dem stod ämbetsmän med initiativrätt, rådgivande befogenheter och sakkunskap.

Folkbokföringens framväxt och utformning

I internationellt perspektiv är den svenska folkbokföringen unik, eftersom den innehåller sådana uppgifter att man kan följa en människa från vaggan till graven, se hur hon flyttat och var hon bott och om hon gift sig och fått barn, och därigenom gör det möjligt att rekonstruera familjer. Detta beror på att inte endast födelser och dop, vigslar och dödsfall och begravningar registrerats utan också flyttningar och att dessutom kontinuerligt förts en längd över församlingens invånare efter byar och hushåll. Denna folkbokföring växte fram och blev en av staten ålagd plikt under 1600-talet och det var det intresse staten hade av att få befolkningen registrerad som gav upphov till det för det svenska folkbokföringssystemet unika.

Varför och hur detta skedde behandlas av Sven A Nilsson i hans bidrag i denna skrift samt i *Gustav Adolf – 350 år efter Lützen*. Här ska endast poängteras att den kyrkliga lokalförvaltningen härmed fick nya och för framtiden normerande uppgifter.

Ämbetsmännen

Den utbyggnad av förvaltningen som ägde rum under 1600-talet medförde att det krävdes fler ämbetsmän och förvaltningens komplexitet och dess många nya uppgifter ställde samtidigt ökade krav på deras kunnighet. Det behövdes därför utbildning för fler och det behövdes en för civila ämbetsmän adekvat utbildning. Genom olika åtgärder strävade statsledningen att få detta utbildningsbehov tillfredsställt. Gustav II Adolf upprustade såväl Uppsala universitet som en del andra läroanstalter och gav medel till lärartjänster i i detta avseende nyttiga ämnen som statsvetenskap och juridik. På 1620-talet grundades efter utländska förebilder adelsakademin Collegium illustre med undervisning inriktad på karriär i den civila statsförvaltningen. Akademin fungerade dock endast några år. 1627 började en ny typ utbildning för blivande ämbetsmän, vilken fick stor betydelse. Svea hovrätt mottog detta år de första auskultanterna och dess exempel följdes snart av övriga hovrätter och vissa kollegier. Senare under 1600-talet förekom auskultantutbildning även vid större rådhusrätter. De som auskulterade, dvs åhörde överläggningar och satte sig in i myndighetens arbetssätt, hade en akademisk utbildning bakom sig; för dem som intogs i hovrätterna krävdes avancerade juridiska studier. Auskultantutbildningen stod helt under statens kontroll och från framför allt Svea hovrätt spreds sålunda färdigutbildade jurister ut över landet till olika tjänster. Under hela 1600-talet utbildade sig också svenskar – liksom tidigare – vid utländska universitet. Många av dessa blev civila ämbetsmän.

Kravet på utbildning är ett tecken på den professionalisering av ämbetsmännen som ägde rum under 1600-talet. Andra tecken därpå är att det under århundradets gång i mycket högre grad än tidigare blev fråga om specialiserade karriärer. Så t ex hade landshövdingen från och med 1635 enbart civila uppgifter och de kungliga råden blev under enväldet ämbetsmän knutna till sitt fack.

För dessa tjänstemän krävdes ett fast lönesystem. Utbetalandet av löner blev en helt annan faktor att räkna med än tidigare. Särskilda personalstater uppgjordes därför från och med 1620-talet och i dem angavs antalet tjänster som skulle finnas inom de olika

Slottet Tre Kronor – här på Govert Camphuysens målning från 1661 – innehöll inte endast bostad för den kungliga familjen utan också lokaler för hela centralförvaltningen. Rådet sammanträdde här och kollegierna inklusive Svea hovrätt, statskontoret och deputationer och kommissioner hade sina lokaler här, likaså lantmäteriet till 1689. Först i och med slottsbranden 1697 spreds förvaltningen. Uppsala universitet. Foto O Lindman.

Svea hovrätt hade t ex vid mitten av 1600-talet sina rum i slottets västra länga, här sedd från Stora borggården omkring 1660 (längan i bildens mitt). Modell i Stockholms stadsmuseum. Foto Stockholms stadsmuseum.

Erik Dahlbergh (1625–1703)
fältmarskalk, generalguver-
nör, arkitekt, mannen bakom
"Svecia antiqua". Porträtt
målat av D K Ehrenstrahl
1664. Uppsala universitet.
Foto SPA.

myndigheterna, deras tjänstegrad och vilken lön som skulle utgå och varifrån den skulle tas. Syftet var att fördela de medel som inflöt till statskassan. Däremot ger dessa stater inte en rättvisande bild av vilken lön den enskilde tjänstemannen i realiteten fick.

Sedan medeltiden hade adeln hävdat sin företrädesrätt till högre ämbeten och vid sitt trontillträde hade Gustav II Adolf i sin kungaförsäkran bekräftat dess privilegium på "riksens höge ämbeter, som äre drotset, marsk, amiral, cantzler, skattmästare ... riksens råd och cammerråd, sampt lagmän, stådhållare i landsänderne och på de förnembligeste befästninger ... såsom och häredshöfdinger". Även tjänsterna i det kungliga kansliet nämndes men i något mer vaga ordalag. I senare kungaförsäkringar utökades de adeln för-

behållna tjänsterna med ytterligare några, bl a chefs- och rådsposterna i de nytillkomna kollegierna medan häradshövdingetjänsterna bortföll. Dessa senare oräknade var det vid 1600-talets mitt allt som allt ca 60 tjänster som adeln hade rätt till. I realiteten fanns det dock inga hinder för en verkligt framstående ofrälse att uppnå de högsta ämbetena. Innan han nått den punkt i karriären där adelskap behövdes blev han adlad för sina förtjänster. Den svenska adeln var inget slutet stånd utan fick ständigt tillskott av nyadlade. Om det blev fråga om ett ämbete av sådan art att det var knutet till rådet var inte heller det något hinder efter 1680: då utnämndes han till kungligt råd, ofta samma dag som han erhöll kungligt brev på sitt nya ämbete.

REFERENSER

Förhållandet mellan kungen, rådet och centralförvaltningen har jag tidigare behandlat i *Handläggning och inflytande. Beredning, föredragning och kontrasignering under Karl XI:s envälde.* Bibl Hist Lund XLVI, 1980, *Effektivitetskrav och/eller maktpolitik? Handläggningen av regeringsärendena under Karl XII:s tid* (KFÅ 1979–1980) samt *The King's Council in Sweden and in Europe during the 17th Century. Aspects of the Organization and Division of Business.* Europe and Scandinavia: Aspects of the Process of Integration in the 17th Century. Lund Studies in International History 18, 1983. Framställningen återgår såväl i grundsyn som i enskildheter därpå och de källor och den litteratur som där redovisats. Viktiga källor har varit rådsprotokoll, riksregistraturet, koncept till kungliga brev, skrivelser till Kungl Maj:t, kollegiers protokoll och handlingar.

Viktiga översiktsverk för förvaltningen är de gamla klassiska A B Carlsson, *Den svenska centralförvaltningen 1521–1809. En historisk öfversikt*, 1913, och N Edén, *Den svenska centralregeringens utveckling till kollegial organisation i början af sjuttonde århundradet*, 1902. Äldre och nyare monografier över kolle-

gierna och statskontoret har använts; speciellt skall framhållas S Petrén – S Jägerskiöld – T O:son Nordberg, *Svea Hovrätt. Studier till 350-årsminnet*, 1964. Rörande länsstyrelsen hänvisas till O Sörndal, *Den svenska länsstyrelsen. Uppkomst, organisation och allmänna maktställning*, 1937.

Folkbokföringen kan man läsa om i *Den svenska folkbokföringens historia under tre sekler*, ett särtryck av en serie artiklar av A Wannerdt, utgivet av riksskatteverket 1982. För synen på dess uppkomst refereras till S A Nilsson, *Krig och folkbokföring under svenskt 1600-tal* (Scandia 1982). Se även den senares bidrag i denna skrift samt i *Gustav Adolf – 350 år efter Lützen*, 1982. Auskultantväsendet har behandlats av D Gaunt i *Utbildning till statens tjänst. En kollektivbiografi av stormaktstidens hovrättsauskultanter*, Stud Hist Ups 63, 1975, och svenskarnas studieresor utomlands senast av L Niléhn i *Peregrinatio academica. Det svenska samhället och de utrikes studieresorna under 1600-talet.* Bibl Hist Lund LIV, 1983. Angående adelns roll och villkor se I Elmroth, *För kung och fosterland. Studier i den svenska adelns demografi och offentliga funktioner 1600–1900.* Bibl Hist Lund L, 1981.

Finland under den karolinska tiden

Jussi T Lappalainen

I Finland talar man allmänt om 'den svenska maktperioden'. Uttrycket är i själva verket vilseledande, för Sverige hade inte någon makt i Finland som finländarna själva inte skulle ha delat jämbördigt. Finland hade andel i det svenska rikets suveränitet, vilket till exempel biländerna som vunnits på 1500-talet och i början av 1600-talet, Estland, Kexholms län, Ingermanland och Livland inte hade.

På ovan nämnda sätt framställdes sakförhållandet också på 1600-talet. Professorn i historia och rättslära vid Åbo akademi, Mikael Wexionius, publicerade år 1650, kort innan den karolinska tiden började, ett uppmärksammat verk, *Epitome descriptionis Sueciae, Gothiae, Fenningiae et subjectarum provinciarum*. Verket utkom på initiativ av drotsen och generalguvernören i Finland, Per Brahe, och det förde också fram dennes tankar. Såsom framgår av titeln omfattade verket tanken, att Svealand, Götaland och Finland utgjorde rikets huvuddelar och att de övriga områdena, som hade anslutits till riket senare, var underordnade huvuddelarna.

Då kansler Axel Oxenstierna utarbetade 1634 års regeringsform, blev han tvungen att rangordna rikets förvaltningsområden. Det passade sig nämligen inte att de ur tjänstesynvinkel högt ansedda områdena nämndes efter de med längre rang. Sålunda var Åbo och Björneborgs län, till vilket också Åland hörde, fjärde i ordningen, efter Västra Götaland, Viborgs och Nyslotts län var nionde, före Östra Götaland, Tavastehus och Nylands län var tolfte och Österbotten adertonde, före Estland.

Innebar Finlands värdighet som storfurstendöme sedan slutet av 1500-talet, en värdighet som inget annat svenskt område hade, en administrativ separation? Benämningen användes regelbundet från tiden för Gustav II Adolfs förvaltningsreform, om än det avsedda området något varierade. Egentliga Finland, Satakunta, Tavastland, Nyland, Karelen och Savolax hörde alltid till storfurstendömet. Fogden på Åland blev emellertid ofta tvungen att sköta sina angelägenheter direkt med Stockholm, och Österbotten tillhörde även under den karolinska tiden det område som styrdes av landshövdingen i Västerbotten. Det hände därför att de ibland uppfattades som administrativt skilda från storfurstendömet, fastän de var en del av Finland. Det under den karolinska tiden använda uttrycket "Här i Riket och i Storfurstendömet Finland" avsåg helt enkelt områden på båda sidor av Bottniska viken utan att närmare göra åtskillnad mellan dem.

Finland blir en avsides riksdel

Den karolinska tiden betydde dock för Finland och dess folk att de på många sätt blev åsidosatta. Detta märktes redan i rikets högsta ledning. I början av den karolinska tiden, år 1654, var de högsta civila och militära ämbetena ännu besatta av män ur den generation som hade vunnit sina sporrar i kriget med Polen eller i trettioåriga kriget. Bland dessa män fanns det flera som tillhörde gamla finländska släkter, var födda i Finland och kunde tala finska. Släkterna Boije, Creutz, Fleming, Horn, Kurck, Stålarm och Tott hade alla producerat män till rikets ledande poster.

Den centraliserade förvaltningen accentuerade Stockholms betydelse. Rikets centrum drog oemotståndligt adliga till sig. Under den karolinska tiden var allt fler medlemmar av de ursprungligen finländska släkterna födda i Sverige, och de hade inte längre direkt beröring med Finland eller med dess speciella problem. Redan i Karl XI:s förmyndarregering var kännedomen om Finland starkt begränsad, och i kretsen kring Karl XII fanns det inte några andra i Finland uppvuxna män än den följande periodens store statsman Arvid Bernhard Horn.

Den andra faktorn, som bidrog till att Finland blev en perifer riksdel, var rikets expansion söderut. De nordtyska områden som Sverige fick i freden i Westfalen år 1648 beseglade definitivt Sveriges inblandning i händelserna i Centraleuropa, och efter förvärvet av de sydsvenska landskapen år 1658 låg tyngdpunkten tydligare än någonsin i sydväst. Fram till 1617 hade Finland varit det centrala stödområdet för utrikespolitiken i dess viktigaste riktning och redan av denna orsak fostrat betydande statsmän. Frontförändringen från 1620-talet reducerade Finland efter hand till ett rekryteringsområde. Juridiskt bibehöll Finland sin ställning som rikets östra kärnland, men i praktiken blev det en utmark. Förändringen avspeglar redan det, att ingen av de tre karolinska kungarna varit längre österut i Finland än Åland, där Karl XI i sin ungdom hade jagat älg.

Likriktningspolitiken

Finland under den äldre Vasatiden hade präglats av en mycket långtgående separat utveckling oberoende av utvecklingen i Sverige. Den finländska adelns självständiga politik hade dock Karl IX avbrutit på ett våldsamt sätt genom att slå in på en integrationspolitisk linje. Gustav II Adolf hade fortsatt på samma linje genom att sträva efter att använda finländare i ämbetena i Stockholm eller att göra dem till officerare i armén och svenskar till ämbetsmän i Finland.

Axel Oxenstierna drog redan på 1620-talet upp riktlinjerna för likriktningspolitiken i Finland. Slutmålet var en fullständig likriktning av de administrativa och kyrkliga förhållandena i Finland med dem i Sverige.

Betydelsen av en ren lära i hela riket visar det, att under hela den karolinska tiden tilläts ingen i Finland född man inneha biskopsämbetet i Åbo, fastän prästerna inom stiftet enträget framförde önskemål därom. Av biskoparna under den karolinska tiden kom Johannes Gezelius uttryckligen för att säkra en gemensam lära även bland finländarna: hans son fortsatte arbetet särskilt på folkundervisningens område.

På den administrativa sidan var det i landshövdingarnas och regementschefernas ämbeten inte möjligt att föra en lika klar politik. Det fanns alltför många meriterade finländare för att de alla skulle kunna åsidosättas – men å andra sidan tillräckligt många för att centralförvaltningen skulle finna pålitliga män. Därtill hade en landshövding i länsförvaltningen så mycket med allmogen att göra att kunskaper i finska åtminstone var en stor fördel, något som också ofta betonades.

Machiavellis tanke "Sedvänjorna är viktigare än språket" passar in på syftet med den likriktningspolitik som bredrevs i Finland. I synnerhet Per Brahe, som från sin tid som generalguvernör väl kände förhållandena i Finland, var välvilligt inställd till det finska språket. Traditionerna från reformationen omöjliggjorde tanken på att hålla gudstjänst på något annat språk än det som folket begrep. I detta avseende drabbade det språkliga förenhetligandet på ett helt annat sätt Skåne, vars invånare inte hade några övermåttan stora problem att förstå svenska: med finnarna kunde man kommunicera endast på finska. Först 1689 måste de finska soldaterna lära sig de svenska kommandoorden, och under det följande decenniet försökte man fortsätta med denna försiktiga vänjning av militären vid det svenska språket. Den plan på en försvenskning av Finland som den rikssvenska professorn vid Åbo akademi, Israel Nesselius, framlade år 1709 var en tanke framförd av en bitter man under en exceptionell tid. Någon annan gav knappast planen realistisk vikt.

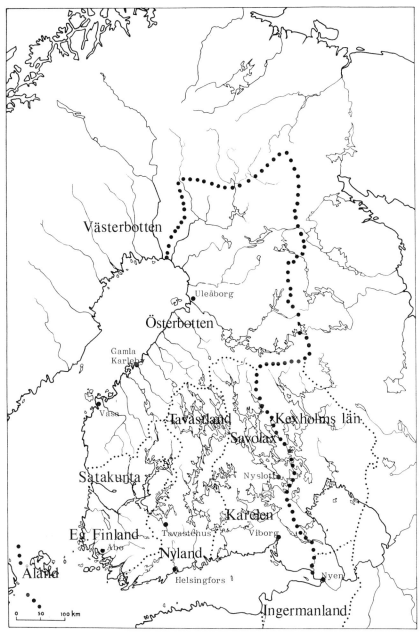

Stormaktstidens finländska län hade var sitt vattensystem, som användes för trafik somrar och vintrar. I södra Finland hörde två historiska landskap till varje län.

Många Finland

På 1600-talet var Finland ännu inte en geografiskt integrerad helhet på samma sätt som i dag. På den tiden var vattendragen och vintervägarna som gick längs dem på vintern av avgörande betydelse för kommunikationerna i inlandet, åtminstone då det gällde transport av tunga varor. Bortsett från smärre undantag hade Finlands alla län sina egna vattensystem.

Åbo och Björneborgs län var uppbyggt kring å ena sidan åarna i Egentliga Finland, å andra sidan Kumo älvs och Näsijärvis vattenområde. Kommunikationslederna i Tavastehus och Nylands län gick huvudsakligen längs den långsträckta sjön Päijänne och åarna i Nyland. Viborgs och Nyslotts län åter omfattade västra delen av Saimens vattensystem. Alla de nämnda insjöområdenas övre delar – och även länen – trängde från kusten långt norrut. Norr om dem, där Österbottens län bredde ut sig, fanns de österbottniska älvarnas och Ule älvs vattensystems ekonomiområde.

Vattensystemen kanaliserade trafiken i inlandet effektivt, i södra Finland i landets längdriktning och i Österbotten i den tvärgående riktningen. Det faktum att Åbo, Viborgs och Uleåborgs handelsområden korsade varandra i mellersta Finland, visar att man på de viktiga marknadsfärderna också gick över vattendelarna. Tack vare handeln kände en bonde från inlandet till städerna vid kusten: däremot hade få personer vid kusten kunskaper om förhållandena i insjöområdet. För befolkningen vid västkusten var Hälsingland eller Roslagen mera bekanta områden än övre Satakunta, och de män från Björkö eller Nyland som bedrev bondeseglation kände Nyenskans, Reval eller Riga bättre än Nyslott eller Tavastehus, som för dem var perifera inlandsstäder.

Även inlandet delade sig i flera olika delar. Västra Finland var ett åkerbruksområde med undantag av de övre delarna av Tavastland och Satakunta, som hade koloniserats av savolaxare på 1500-talet. Dessa savolaxare livnärde sig på svedjebruk i likhet med nästan hela befolkningen i östra Finland. Näringsformen och

Kyrkan hade en viktig andel i regeringens likriktningspolitik. Biskop Johannes Gezelius d ä från Västmanland införde undervisning i renlärighet i skriftskolorna och folkundervisningen i Åbo stift. – Gripsholm. Foto SPA.

den materiella kulturen i östra Finland påminde starkt om den i provinsen Kexholms län. Språket var också nästan detsamma, men den ortodoxa tron skilde befolkningen i Kexholms län från karelarna och savolaxarna i Finland.

Kustbefolkningen åter innehöll två språkgrupper, en finskspråkig och en svenskspråkig. Den svenskspråkiga befolkningen utgjorde i början av den karolinska tiden en femtedel av Finlands dåtida befolkning på 400 000, således en klart större andel än nu på 1980-talet, då den är endast cirka ¹⁄₁₅ av hela befolkningen.

Då Finland även i kyrkligt avseende var delat i två biskopsstift, kan man inte annat än konstatera att Finland på den karolinska tiden bestod av mycket olikartade delar, vilkas samhörighetskänsla snarare riktade sig mot rikets centrum Stockholm än mot varandra.

Axel Stålarm (1630–1702) fick landshövdingeämbetet i Tavastehus och Nylands län för åren 1668–1678 uttryckligen för sina kunskaper i finska. Sådana språkkunskaper var nödvändiga för en ämbetsman som ständigt skulle umgås med allmogen. – Gripsholm. Foto SPA.

De stora flyttningsrörelserna

På 1600-talet flyttade finländare såväl västerut som österut. En del av de savolaxare som hade koloniserat mellersta Finland utvandrade till skogstrakterna i västra Sverige. Bland annat i Värmland uppstod en stark finsk bosättning. Ättlingar till dessa utvandrare bevarade segt sitt finska språk ända fram till detta århundrade. I Västerbotten fanns det sedan gammalt en finsk bosättning. Den fasta förbindelsen över Bottniska viken upprätthöll även i övrigt en ständig flyttningsrörelse. Finland förefaller vanligen ha varit den givande parten: i ådrorna på dagens svenskar och finländare rinner det ända sedan den tiden rikligt med blod från den andra parten.

Den viktigaste befolkningsförskjutningen under den karolinska tiden ägde emellertid rum i öster. Den hade startat redan under första hälften av 1600-talet, då den ortodoxa befolkningen i Kexholms län och Ingermanland började fly till Ryssland undan lutherdomen och skatterna. I stället invandrade till biländerna, som inte hade utskrivning som pålaga, lutherska savolaxare och karelare från östra Finland. Karl X Gustavs ryska krig 1656–1657 ledde till en kraftig ansvällning av flyttningsrörelsen. Den ortodoxa befolkningen fungerade under kriget som tsarens femtekolonn och flydde över gränsen av fruktan för hämnd. Norra Karelen och Ladogas norra strand fick sålunda under senare hälften av 1600-talet en klar luthersk majoritet.

Landets håvor

Fastän Finland efter sin huvudnäring kunde delas i ett åkerbruksområde och ett svedjebruksområde, betydde detta inte att sveden skulle ha varit okänd i väster eller åkern i öster. Svedjebränning förekom under senare hälften av 1600-talet överallt i Finland med undantag av Åland och Österbotten. Men huvuddelen av skörden kom i väster från åkerbruk och i öster från svedjebruk. Även i Österbotten bedrevs svedjebruk i samband med kärrodling. Skillnaden mellan åker och sved betydde också en skillnad i boskapsstocken. Svedje-bruksområden livnärde endast en knapp tredjedel av den boskap som måste hållas i de bästa åkerbruksbyg-derna. En permanent åker behövde nämligen kreaturs-gödsel för att vara bördig, sveden fick sin livskraft av askan från träden och från de näringsämnen i jordmå-nen som hettan från elden gjort lämpliga för sädes-växter.

Näringsformen gav också upphov till skillnader i levnadssättet. I de centrala jordbruksområdena i söder var tegskiftet dominerande, och stugorna låg tätt intill varandra längs bygator i sammangyttrade byar. Bön-derna i dessa byar var tvungna att utföra sina arbeten på samma åkerfält samtidigt. I Österbotten åter fanns det radbyar längs älvarnas stränder. I svedjeskogarnas kolonisationsområden var rökpörtena belägna där den fruktbaraste jorden fanns, vid sjöarnas stränder och på backkrönen. Så länge som det fanns grova orörda barrskogar att svedja kunde svedjebruket, då det lyckades, ge enorma skördar, av vilka det också blev över råg för export. Men om man blev tvungen att återvända till ett tidigare brukat svedjeland som hunnit bli lövskog redan efter 20 år, gav åkern i förhållande till arbetsmängden redan bättre skördar än sveden. Sålunda vann åkern mark på svedens bekostnad.

En finländsk skogsprodukt som var mycket viktig för hela riket var den tjära som Europas segelfartyg av trä behövde. Finlands andel av rikets tjärexport var i slutet av 1600-talet inte mindre än 80 %. Tjära brändes i insjöområdet i östra Finland, därifrån den utskeppa-des via Viborg, samt i växande omfattning i Österbot-ten, vars tjärhamnar var Gamlakarleby och Vasa. Tjär-handeln under den karolinska tiden växlade ständigt mellan ett tjärkompani med monopol på varan och fri handel. Tjärkompaniet dominerade handeln största delen av perioden, och då gick i synnerhet tjäran från Österbotten via rikets centrum Stockholm, där den gav stadens storköpman en möjlighet att sko sig. Mer-kantilismens principer band även i övrigt den öster-bottniska handeln vid Stockholm.

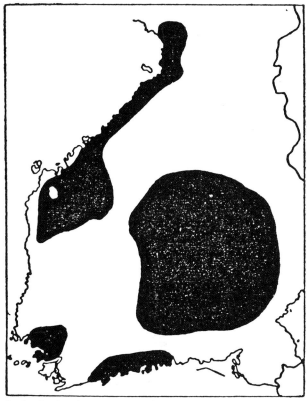

Under den karolinska tiden brände man tjära i hela det östra insjö-området och i Österbottens kusttrakter. Tjäran var Finlands vikti-gaste exportvara. Av hela rikets tjärexport kom inte mindre än 80 % från Finland. – E E Kaila, Pohjanmaa ja meri 1600–1700-luvuilla, 1931.

Den längre förädlade industrins viktigaste produkt baserade sig också på det inhemska träet. Österbotten blev under seklets sista kvartal ett centrum för landets skeppsbyggnad. Dess segelfartyg av furu hade god åtgång inte bara bland köpmännen i Stockholm utan också bland dem som bodde öster och söder om Östersjön. Finland producerade också köpmansvaror, t ex smör, pälsvaror och metallprodukter samt under

vilda skogsbor. De var fullständigt integrerade i den ekonomiska helhet som Norden och Östersjön utgjorde på den tiden. Deras livnäringsteknik var väl anpassad till de stränga förhållandena, och den gav under goda år en tämligen skälig inkomst. Men under den fragmentariska 'lilla istiden', som började på 1600-talet, var Finland i högre grad än Sverige ett marginalområde för jordbruket. Av de många katastroferna inföll den värsta under 'de stora hungeråren' 1695–1697, då exceptionella väderleksförhållanden förstörde skörden. Hungern och farsoterna dödade närmare 140 000 finländare, och Finlands invånarantal sjönk med drygt 100 000 personer kort före den följande olyckan, det stora nordiska kriget.

En Kalevala-kultur?

De kulturella skillnaderna mellan västra och östra Finland ökade under den karolinska tiden. Till sydvästra Finland och Österbottens kustområde, vilka redan länge varit välmående och utvecklade trakter, spred sig på 1670-talet många nyheter, som på grund av hungeråren och stora ofreden först tiotals år senare vann insteg i östra Finland. Till dem hörde bl a stugor med skorsten, glasfönster, förändringar i klädseln och t o m i allmogekonsten och -musiken.

Den traditionella finska kulturen hade redan på medeltiden och 1500-talet sammanblandats med den kristna kulturen. Ett utmärkt exempel på resultaten av sammanblandningen är den österbottniske prästen Matthias Salamnius' *Ilo-Laulu Jesuxesta*, som publicerades år 1690 och som är den finska diktningens främsta prestation under den karolinska tiden. Messiaden, som är skriven på klanderfri och smidig runometer, har 2265 versrader. Den utstrålar en anspråkslös, andäktig och folklig värme, som gör att den med fördel skiljer sig från många europeiska förebilder, i vilka lärdom och prål döljer huvudsaken.

I andra sammanhang såg renlärigheten i folkdiktningen en fara som det gällde att värja sig emot. Detsamma gäller för hela den folkliga andliga kulturen,

goda år även spannmål. Salt var den överlägset viktigaste importvaran; de övriga var lyxartiklar såsom tyger och drycker.

I motsats till i Sverige var det gamla frälset mycket fåtaligt i Finland. De finländska bönderna förblev därför efter den karolinska tidens reduktioner nästan uteslutande antingen krono- eller skattebönder.

Finländarna på den karolinska tiden var inte några

likaså de traditionella folkbotarna, av vilka många nu blev förföljda för sitt kunnande. En import till Finland, som var helt baserad på renlärigheten, var den djävulsdyrkande trolldomen. Häxprocesserna, som riktade sig mot denna, spred sig från norra Sverige till Åland och de svenskspråkiga delarna av Österbotten under den karolinska tiden. Den traditionella finska häxan/schamanen hade varit en mansperson: nu hamnade vanligen kvinnor på de anklagades bänk under häxprocesserna.

Även Åbo akademi, som hade grundats 1640, var till en början ett fäste för likriktningspolitiken och fungerade på vetenskapens språk, latin. Men den finska kulturen sipprade också dit, och den lade vid akademin grunden till en alldeles ny diktart, den finska gratulationsdikten. Gratulationsdikter trycktes bl a i början av akademiska avhandlingar. I dem var det finska språket anpassat efter antikens versmått. I slutet av den karolinska tiden började män som var födda i Finland överta majoriteten av professurerna vid Åbo akademi, och de finländska studenterna började rentav kräva hemortsrätt till de övriga befattningarna i landet.

Det var i de akademiska kretsarna som en ny syn på Finland växte fram. Den nya synen utstrålade kärlek uttryckligen för hela Finland och det finska språket. Dess förebilder var den samtida götiska historieskrivningen i Sverige och de hembygdslov som hade skrivits vid akademin. Den främste företrädaren för rörelsen blev den 'genuine fennofilen' Daniel Juslenius, som var hemma från Egentliga Finland. Han publicerade år 1700 verket *Aboa vetus et nova*, i vilket han på ett tidstypiskt sätt härledde finnarnas ursprung till den babyloniska förbistringen. I verket *Vindiciae fennorum* från år 1703 påvisade Juslenius åter finnarnas betydelse för ett enat rike. I dessa verk tog sig den finska patriotismen uttryck – utan att på något vis kränka riksenheten – just i början av det stora nordiska kriget.

Till tidens innovationer i västra Finland hörde bl a stugor med skorstenar. I östra Finland levde man länge ännu i rökpörten. – Österbottens vapen i Svecia antiqua et hodierna. Foto Kungl Biblioteket.

Bakgrunden till sammanbrottet

Karl XII har betraktats som skyldig till det snabba sammanbrott som drabbade stormakten Sverige-Finland i dess östra del under det stora nordiska kriget.

Huvudorsaken har ansetts vara att han undervärderade Rysslands styrka och att han trodde sig klara av Polen innan Ryssland hade hunnit hämta sig. Men vilken var den tankemässiga grund som gjorde en sådan felbedömning möjlig? Frågan hör samman med Finlands militärpolitiska ställning under hela stormaktstiden.

För det första är det skäl att peka på hur riket försummat de utrikespolitiska frågor som berörde Ryssland. Samtidigt hade också kännedomen om Ryssland minskat. Personerna i rikets högsta ledning på Karl XII:s tid tillhörde en generation som aldrig haft att göra med ett öppet fientligt Ryssland. De var inte kapabla att betrakta Finlands ställning ur den synvinkeln. Inte ens de få bland den enväldige kungens närmaste män som var finländare till börden förmådde det.

Ingermanland och Kexholms län, som bildade ett buffertområde mot Ryssland, och den trygghetskänsla som detta skapade utgjorde en militärgeografisk faktor. Denna trygghetskänsla hade redan Gustav II Adolf omnämnt efter freden i Stolbova 1617, och med den tidens trafikförhållanden var Ladoga, kärren i Ingermanland och skogarna i Karelen verkliga hinder för stora krigsoperationer – om man höll sig på landbacken.

Precedensfallen och deras tolkning
Finland blev emellertid föremål för ett anfall i början av den karolinska tiden, närmare bestämt sommaren 1656, i en situation då Finlands *alla* ordinarie regementen deltog utomlands i Karl X Gustavs krig. Ryssarna tog Ladoga helt i sin besittning med en flotta av småfartyg, belägrade Nöteborg och Kexholm samt tog sig längs Neva ända till Finska viken. Finland klarade sig genom att kalla allmogeuppbådet ('nåståfolket') till vapen och genom att i dess skydd bilda en ny armé genom nya utskrivningar och värvning av ryttare. Under detta anfall led i själva Finland endast östra Savolax skador.

År 1657 blev Finlands överbefälhavare Gustaf Evertsson Horn tvungen att föra en hård dragkamp med Karl X Gustav och Livlands överbefälhavare Magnus Gabriel De la Gardie om de nyligen upprättade finländska trupperna, vilka greve Magnus och kungen önskade till Livland. Genom att protestera och förhala tiden lyckades Horn hålla trupperna tillräckligt länge för att på sensommaren kunna märka att den ryska grupperingen inte längre utgjorde något hot mot Finland. Följande år ledde de spända förhållandena mellan Ryssland och Polen till ett stillestånd mellan Ryssland och Sverige.

Av dessa händelser uppstod bilden, att Finland mycket väl förmådde försvara sig med de trupper som kunde uppbådas i landet och dessutom bistå i Baltikum utan att en tömning av Finland på dess reguljära trupper utgjorde någon fara. Strax före Karl XII:s tronbestigning, år 1696, utkom Samuel Pufendorfs stora historieverk om Karl X Gustav. Så knapp som den bild av krigsoperationerna vid östgränsen detta verk än gav, förmedlade det ändå just ovan nämnda intryck. Hovhistorikern nämligen allt annat än förringade fiendens storlek och de egna fåtaliga truppernas mod och skicklighet. Det förblev sålunda okänt med hur små styrkor ryssarna år 1656 i själva verket hade varit i rörelse.

På Karl XI:s tid upplevde man 1675–1676 en ny kris. Riket förde åter krig i söder, och alla finländska trupper var kommenderade ut ur landet. Greve Axel Julius De la Gardie, som hade utnämnts till överbefälhavare i Finland, höll dock en del av trupperna kvar i landet, för ryssarna höll på att koncentrera trupper vid gränserna mot Ingermanland och Livland i avsikt att utöva påtryckning på de förhandlingar som fördes och för att stöda danskarna. Denna gång föranledde tvister mellan Ryssland, kosackerna och Turkiet Ryssland att dra bort sina trupper på hösten 1676: man klarade sig således ur krisen med blotta förskräckelsen, vilken i likhet med den 20 år tidigare på sätt och vis hade varit 'onödig'.

Gustaf Evertsson Horn af Kanckas, friherre af Marienborg, tjänstgjorde som generalkommendant i Finland 1657–1659. Han betonade ständigt huru viktigt det var för rikets försvar och för finnarnas humör att hålla en del av Finlands egna trupper kvar i landet. Därtill talade han ivrigt för en varaktig eskader på sjön Ladoga. Privat ägo. Foto SPA.

Ladoga – skydd eller hot?
I dessa händelser var det en sak man inte insåg tillräckligt. I likhet med Gustav II Adolf trodde man fortfarande att provinserna utgjorde ett tillräckligt hinder. Man insåg inte att Ladoga i själva verket utgjorde en utmärkt anfallsväg. Det är inte utrett, om detta berodde på det, att man mindes hur den flotta som anlänt från Sverige 1656 hade jagat bort de ryska fartygen från Finska viken genom att endast visa flagg och följande sommar trängt upp till Ladoga, eller på det, att ryssarnas flottoperation helt enkelt hade glömts bort. Det sistnämnda förefaller mera troligt, för till exempel Pufendorf behandlar händelserna 1656 som enbart ett landkrig.

Det fanns emellertid personer som hade framhållit faran som hotade från Ladoga. Före Karl X Gustavs ryska krig hade såväl Gustaf Evertsson Horn som förre landshövdingen i Nöteborgs län, Peter Loofeldt, betonat behovet av att bygga en flotta för Ladoga, och de återkom till samma fråga ännu i början av 1660-talet. Kommendanten på Nyenskans, Alexander Morath, åter krävde en flotteskader till Ladoga våren 1674. Tanken togs dock varken på 1660- eller 1670-talet ens upp till övervägande.

Det gick rakt tvärtom: då Karlskrona på Karl XI:s tid utbyggdes till huvudbas för den svenska flottan, flyttade detta ännu tydligare tyngdpunkten inom rikets sjömakt söderut, i samma riktning som tyngdpunkten inom utrikespolitiken redan hade förlagts. Användningen av stora högsjöfartyg hade stabiliserat sig som den svenska flottans operationsdoktrin. Ett sjökrig fört med små fartyg, vilket hade varit nödvändigt på Ladoga och i Finska viken, var alldeles främmande för denna doktrin.

Allt detta fanns i bakgrunden då Karl XII fattade sina beslut. Han var inte nödvändigtvis ens metveten om alla dessa faktorer, men han var i desto högre grad bunden av sina föregångares och sin egen tids tänkesätt. Felet låg inte enbart hos honom utan också i det allmänna fastnandet i gamla tankebanor, vilket redan före hans tid hade lett till att fästningarna i Finlands riktning och hela försvarstänkandet hade försummats.

Bittra stordåd
I början av stormaktstiden hade det varit vanligt, att de finländska infanteriregementena svarade för garnisonstjänsten i provinserna öster om Östersjön under fredstid. Den återstående delen av Finlands krigsfolk stod till förfogande var än den krigiska utrikespolitiken krävde ett snabbt insättande av trupper.

I Finland har historieforskningen förhållit sig tämligen avvisande till de krigiska bragderna under den karolinska tiden. De finländska truppavdelningarna deltog i Karl X Gustavs krig samtidigt som det egna landet var i fara. Det var en sak som redan den tidens människor hade svårt att förstå. Då en karelsk bonde i fyllan klädde sin harm i följande ord: "Har vi en kung? Han har låtit hugga av många oskyldiga huvuden. Han är en narr. – – – Vem bad honom att börja slåss?", låg bakom orden en allmogemans inskränkta men hälsosamma tvivel över krigspolitikens välsignelser.

Karl X Gustavs hela krigsperiod gav särskilt finländarna mycket litet i hand. På minussidan stod att Finlands hela krigsmakt på 1660-talet egentligen måste grundas på nytt. Ingen förmådde då ens utreda vart truppavdelningarnas män egentligen hade försvunnit. För de flesta av männen var den sista uppgiften att de hade blivit kommenderade till någon fästning i Litauen eller ut på patrullfärd. I fråga om andra män försökte man komma ihåg om de hade stupat vid Krakow, i Preussen eller utanför Köpenhamn eller om de hade dött i lägret av någon farsot.

Som ett resultat av erfarenheterna från Karl X Gustavs krig grundades Burghausens dragonregemente år 1665 för att bevaka gränsen i östra Finland. Dragonerna, som förflyttade sig till häst men som stred till fots, hade visat sig vara ett synnerligen lämpligt vapenslag för Finlands skogtäckta terräng. En dyster symbolik finns däri, att detta truppförband sedermera

stupade praktiskt taget till sista man – inte i den ka-
relska skogsterrängen utan på öppna fältet i slaget vid
Lund 4.12.1676 under Karl XI:s krig i Skåne. De
övriga finländska truppförbanden gick inte sitt öde till
mötes lika snabbt: de bara smälte ihop litet åt gången i
Skåne, i Jämtland, i Tyskland, i Livland, på sjöresorna
och i synnerhet under den olyckliga marschen från
Livland till Preussen vid årsskiftet 1678–1679. Även
efter Karl XI:s krig behövde den finländska krigsmak-
ten på grund av de enorma förlusterna en fullständig
remont. Nu fogades också indelningsverket och det
ständiga knektehållet till den nya organisationen.

Dystert arv
Under Karl XII:s tid visade sig indelningsverkets
reguljära män snabbt vara endast kontanta medel.
Sedan de hade förts ut ur landet, måste man ta ut både
tremänning, fördubbling, femmänning och bondeupp-
båd. Dessa män stupade i sin tur i Livland, i Polen, i
Ryssland och i försvaret av Finland mot övermakten
vid Kostianvirta i oktober 1713 och vid Napue i febru-
ari 1714. Ungefär 5 000 finländare fanns ännu kvar för
expeditionen till Trondheim år 1718: av dem räddade

sig endast en handfull ur snöstormen och kölden
under återtåget på nyåret över de norska fjällen.

En okänd finsk präst hade efter segern vid Narva år
1700 i en skillingvisa på runometer sjungit om den
gemensamma glädjen över segern, men samtidigt
önskat fred av Gud. Kyrkoherden i Ilmola, Barthol-
dus Vhael, som hade flytt till Sverige år 1714, skrev på
samma folkliga versmått en klagodikt, i vilken det inte
längre fanns rum för någon glädje. Liknande dikter
skrevs av många andra. Vhaels dikt var ett finskt nöd-
rop till kungen som dröjde i Turkiet:

Carle cuuluisin Cuningas,	*Carl berömdaste av kungar,*
Ruotzin Ruhtinas roheva,	*Sveriges mäktige furste,*
Tule Cullanen kotihin,	*Käre kom hem,*
Olet tervet tultuansi,	*Var hälsad välkommen,*
Tuoppas Rauha tullensasi.	*Hämta freden med dig.*

Karl XII kom, men han hämtade inte med sig den fred
finländarna önskade. Under de sista åren av den karo-
linska tiden var Finland under rysk ockupation, och
Sverige fick sedan ett stympat Finland i arv av den
karolinska tiden.

REFERENSER

Karolinska tidens Finland i allmänhet behandlas i en
omfattande allmän framställning av Armas Luukko i
Suomen historia 1617–1725 (Finlands historia, 1967)
samt i två utmärkta tidsenliga verk, *Suomen kulttuuri-
historia I* (Finlands kulturhistoria, 1979) och *Suomen
taloushistoria I* (Finlands ekonomiska historia, 1980).
I den närmaste framtiden utkommer en ny serie av
Suomen historia. För del 3, *Suurvalta-aika* (Stormakts-
tiden), svarar Aimo Halila, som under sin mångsidiga
forskarbana ofta har behandlat 1600-talets problem.
Erkki Lehtinens uppmärksammade avhandling
*Hallituksen yhtenäistämispolitiikka Suomessa 1600-
luvulla* (Regeringens likriktningspolitik i Finland på

1600-talet, 1961) analyserar skarpt storfurstendömets
ställning i Svenska riket. Här är jag tvungen att förbigå
flera värdefulla finska monografier om karolinska
tidens kultur, religion och ekonomi.
Karolinska tidens krigshistoria i Finland har senast
behandlats av Rainer Fagerlund, *Kriget i Östersjöpro-
vinserna 1655–1661* och Jussi T. Lappalainen, *Finland
och Carl X Gustafs ryska krig* (Carl X Gustaf-studier
7:1–2, 1979). Lappalainens arbete finns fullständigare
på finska: *Kaarle X Kustaan Venäjän-sota v. 1656–
1658 Suomen suunnalla,* 1972). Författarna analyserar
tidens militärpolitik samt operationerna. Jussi T. Lap-
palainen har också behandlat Karl XI:s krigsperiod i

Viborg var sedan gammalt Finlands viktigaste befästning mot öster. På 1600-talet fick den förfalla i den felaktiga tron att sjön Ladoga, kärren i Ingermanland och skogarna i Karelen skulle förhindra en allvarlig offensiv mot Finland. Således utgjorde den nästan inget hinder alls för Peter I – lika litet som de på samma sätt försummade befästningarna i Ingermanland och Kexholms län. – Svecia antiqua et hodierna. Foto Kungl Biblioteket.

artikeln *Krigssituationen ur finländsk synpunkt* i samlingsverket *Kampen om Skåne* (1983).

I början av 1950-talet utkom två arbeten om Finland under stora ofreden. Eirik Hornborg publicerade 1952 *Karolinen Armfelt och kampen om Finland under Stora Nordiska kriget* och Lauri Kujala 1953 sin avhandling *Pohjanmaan puolustus suuren Pohjan sodan aikana* (Österbottens försvar under Stora nordiska kriget).

A. Wattrangs artikel i Historisk Tidskrift 1920 *Hvilka voro orsakerna till att tsar Peter under det stora nordiska kriget fick tillfälle att grundlägga och utveckla sin sjömakt i Finska viken* öppnade en diskussion om stormaktens undergång i öster. Arnold Munthes *Karl XII och den ryska sjömakten I* (1924) uppväckte kritik i Karolinska Förbundets Årsbok 1927, då Stig Backman recenserade den under rubriken *"Karl XII och ryska sjömakten" av Arnold Munthe. Kritisk granskning av del I.* I Finland har saken behandlats senast av Jussi T. Lappalainen i artikeln *Suomen sotilaspoliittinen asema 1600-luvulla* (Finlands militärpolitiska ställning på 1600-talet, Historiallinen Arkisto 71/1978).

Övers av Per-Erik Holmström

Rutger von Ascheberg (1621–93) fältmarskalk, riksråd. Som guvernör i Skåne en viktig person för försvenskningen av de forna danska landskapen. Karlbergs slott. Foto SPA.

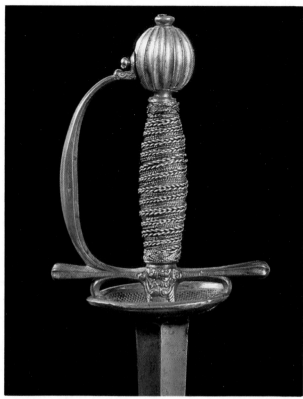

Värja troligen tillverkad i Frankrike. Skänkt till den fyraårige Karl XI av drottning Kristina vid hennes besök i Sverige julen 1660. Foto Livrustkammaren.

Karl XII:s värja som han bar vid Fredrikshald 30 november 1718 då han stupade. Foto Livrustkammaren.

De tre Karlarna i samtidslitteraturens spegel

Bernt Olsson

I den svenska 1600-talslitteraturen intar tre dikter en särställning genom sin höga syftning och sin representativa karaktär. Stiernhielms *Hercules*, som koncipierades på 1640-talet, när förmyndarna utövade makten och stormakten i sin uppbyggnadsfas satte sin lit till en i alla dygder framstående adel, riktar sig till de unga adelsmännen och vill visa dem dygdens väg. Spegels *Guds Werk och Hwila* framställer Gud som det högt upphöjda majestätet, som efter fullbordat verk håller allting vid makt, och uttrycker därmed enväldets förening med ortodoxien, dess likställande av Gud och kungen och dess tro på den högsta maktens vilja och förmåga att bevara den vunna samhällsformen. Dahlstiernas *Kunga-Skald* visar detsamma från den profana sidan, då kungen kallas Gud och hans död framställs som en fullkomlig katastrof för landet. Dahlstierna har också i en annan känd dikt epigrammatiskt sammanfattat gudamaktens och kungamaktens förening:

Gif Gud och Kung hwar sitt; Sij så får Fanen inte!

Genom enväldet ställs kungamakten i konstens centrum som aldrig förr. Konstnärers och diktares främsta uppgift blir att framhålla kungens dygder. Konsten och litteraturen blir representativa. Visserligen är panegyrik inte okänd före enväldet. Gustav II Adolf hyllades, inte minst efter sin tragiska död. Till Kristina skrevs panegyrik, i Sverige och utomlands. Men med Karl XI ökar mängden kungapanegyrik starkt. Det sker redan vid trontillträdet; alltså före enväldet. Sannolikt har ingen svensk konung under sin livstid och vid sin död blivit föremål för så mycken panegyrik i diktens form. Karl XII hyllades också, särskilt för sina stora segrar. Sin verkliga gloria erövrar den unge hjälten dock först då hans bragder kommit på avstånd. Den mera prosaiske Karl XI blev mer besjungen av sin samtid men snart glömd av eftervärlden.

Kungapanegyriken hör hemma i det dåtida litterära systemet. Diktarna var statens tjänare. Deras levebröd var ämbeten eller hopp om sådana. Ämbetena var antingen Kronans eller adelns. Genom reduktionen förlorade adelsmecenatskapet betydelse, och statens ämbeten blev vad som återstod. Tjäna staten kunde man göra på olika sätt, men förmågan att genom storslagen poesi göra landet illustert var viktig för att vinna uppmärksamhet.

Den förste av de tre Karlarna, Karl X Gustav, regerade få år, men det blev han som fullbordade uppbyggnaden av stormaktsväldet genom den mest varaktiga erövringen, den av Skåne, Blekinge, Halland och Bohuslän. Tåget över Bält var en djärv bragd med få motsvarigheter i krigshistorien. Man kunde vänta att den skulle besjungas av diktarna. Under 1700-talet gav den också upphov till ståtlig poesi av Hedvig Charlotta Nordenflycht och Carl Fredrik Gyllenborg. Men den lockade bara få av 1600-talets skalder att stränga sina lyror. En av dem var Georg Stiernhielm. Han skrev dock på sitt eget sätt. Hans *Discursus Astropoeticus* skildrar kriget med Danmark och den europeiska politiken i skrattspegelns form, på en blandning av svenska, latin, danska, tyska, holländska och finska. Staterna – eller deras regenter; någon skillnad härvidlag görs inte – uppträder som gudar och halvgudar men samtidigt som himlakroppar och stjärnbilder i en kvasiastrologisk infattning. Ryssland är således Stora björnen, Polen Björnvaktaren, Danmark/Fredrik III Neptunus och Sverige/Karl X Gustav Mars.

Mars, krigets gud, träder sent in på scenen, först när mer än en tredjedel av dikten är avverkad. Han håller då ett långt tal. I enlighet med gängse svensk uppfattning är svenskarna göter och Mars kallas också "Togicus", anagram för "Goticus" = götisk. Talet han håller är dock nästan enbart på latin:

Sat nunc cessatum est, lät gå, kiör Tiwen i säcken!
Iag skall dig dit sweek damno graviore betala,
Stå mig manliga bij, mina redliga bussar i feltet!
Est mea per vestros virtus cumulata triumphus:
Non ego vos ut perfidus hic per rura relinquam!

(Nu har det sölats nog, sätt igång, kör juten i säcken! Jag skall betala dig ditt svek med desto större förlust, stå mig manligt bi, mina redliga soldater på slagfältet! Genom era triumfer har min egen dådkraft bragts till fulländning: jag tänker inte som en trolös lämna er här på fälten!)

Kriget och marschen över isen kunde, tycker man, ha lockat till en dramatisk skildring, med betoning av farorna och djärvheten. Men Stiernhielm är mer angelägen om att skildra fiendens nöd och desperata böner om hjälp. Neptunus/Danmark ber Argonavis/Holland att göra en undervattensbåt, som kan gå under isen. Holländaren Drebellius hade ju konstruerat en sådan båt:

Kanstu my dat niet doen, siquidem sat possis in arte,
Makt een skeep, volitet levibus super aequora pennis
Aut quod sub böllijs nunc possit simmere diupis;
Fama est Drebellium tales reperisse carinas,
Nun were daet maer fray de dat kont maeken in
Holland,
Jnde per Oceanum denso seglare sub Jso.

(Kan du inte göra mig det, då du ju kan så många konster? Gör en båt, som svävar över vattnet på lätta vingar eller som nu kan simma under de djupa böljorna. Det går ett rykte om att Drebellius skall ha funnit på sådana fartyg, nu vore det emellertid bra, om

någon kunde göra det i Holland och därifrån segla genom havet under den packade isen.)

Bönerna hjälper emellertid inte. Mars, krigsguden, är brinnande av eld, medan Neptunus är kall av is:

Hwad will du taga till? Rapido Mars fervet ab igne,
Men tu kaller af ijs gelidis, Neptune, sub undis.

Neptunus ber så om fred, och Mars dikterar villkoren.

Inte heller Karl X Gustavs död 1660 lockade fram någon större mängd svensk poesi. Förklaringen är enkel. De diktare som hade varit verksamma under seklets förra hälft och vid dess mitt, Wivallius, Stiernhielm och Skogekär Bergbo, hade tystnat som svenska diktare. En ny generation hade ännu inte uppträtt. Först några år in på 1660-talet framträdde i Uppsala en krets av unga diktare med Samuel Columbus och Urban Hiärne som främsta namn, och något senare började deras generationskamrater Erik Lindschöld och Lars Johansson Lucidor skriva svensk poesi. När den unge Karl XI tillträdde tronen 1672, var de redo.

Redan vid kungens fjortonde födelsedag 1669 hyllade Erik Lindschöld honom med en balett, "Den stoora Genius". I tredje "öppningen" lade han in en sång, där han framhöll att kungen redan blivit känd för sina dygder:

Konung Carl af alla känder af alla hålles kiär,
J alla rum och länder det låf och wittne bär,
Att han med dygdelära, begynner sin trons ära
utsprida fiärr och när.

Tidigare i baletten låter Lindschöld Karl XI inta Paris' plats mellan de tre gudinnorna Juno, Venus och Pallas. Men han har inte bara att fälla domen mellan dem, de erbjuder honom också var sin egenskap:

Juno
Konung Carl jag gier i händer, alt hwad han sielf
begiär,
Stor macht och många länder, derför hoppas här,

Han lärer mig berömma och till min ära dömma,
att jag den skiönast är.

Venus
All werldslig frögd och nöije, spel, tidsfördrif
och lek,
All kiärlek, lust och löije, klapp, famtag, kyss
och smek,
Jag låfwar och updrager, om jag honom behagar,
som den der skiönast är.

Pallas
Att han mång land och riken, att han alt werldsligt
gull,
J lust och lek tillika, må lefwa frögdefull,
Är utan mig en kättja, fåfänglighet och flättja,
det störtar många kull.

Vid samma tillfälle omarbetade Samuel Columbus Stiernhielms *Hercules* till en balett med titeln "Herculis Wägewal". I en strof skildras hur "Sommar-Phoebus går på Himlens höga Ban", i en följande intar kungen solens plats:

När Carl med mildrikt mod ock Himmels liufligt lynn
Täckligt framträder,
Thär åt sig gläder
Hwart Sweriges Barn och hwart upriktigt sinn.
Häll säll, tu Nordsens Blida Sol!

Karl XI:s trontillträde 1672 uppmärksammades i hög grad. Sverige befann sig på höjden av sin stormakts-ställning. Detta framhåller diktarna. I de verser till en "Carrosel", som Lindschöld skrev för tillfället, säger han: "Alla Europas länder hylla Carl". En ståtlig dikt är "Swea Lycksaligheets Triumph", av Anders Wollimhaus, en medlem av den nämnda Uppsalakretsen. Dikten är skriven i Stiernhielms efterföljd och ansluter sig till dennes panegyriker över Kristina men är komponerad att framföras dramatiskt, varvid de olika stånden skulle ha olika roller. Först uppträder "Swea-Göthske Apollo" med ett tal till kungen. Denne kallas

liksom Stiernhielms Hercules "Stålt af mod, högädel aff blod". Därefter kommer i tur och ordning "Ridderskapet med heela Krigz-Staten", "Clerkeriet", "Krigs-befelet för sig siälff", "Borger-skapet" och "Menige allmogen". Adeln och krigsbefälet talar på hexameter, prästerna på alexandriner, medan borgarna och bönderna använder andra versmått. Detta blev delvis vägledande för Dahlstierna, när han skapade sin stora *Kunga-Skald*. Även där håller ståndsrepresentanterna var sitt tal, och även där använder bönderna en folkligare stil.

Snart fick Karl XI spela den roll som var kungapanegyriken kärast, rollen av djärv krigare. Slagen vid Halmstad, Lund och Landskrona gav omedelbart diktarna ämne att skriva om. Samuel Columbus såg vad det kunde tillföra det epos han sannolikt arbetat på rätt lång tid utan att kunna tillskriva sin hjälte några heroiska dygder. Nu gjorde han en ny ingress:

Jag siunger om en Kung, en oförskräcktan Hielte,
Som i de Skåners Land sin Fijnde tapfert fällte:
Tre Segrar han på raad emoot de Danske want,
För'n han sit ålders åhr ded tjuguandre hant.

Om Columbus tänkt behandla kriget utförligare vet vi inte; han dog i juli 1679, några månader innan kriget avslutades, och hans epos, det första i klassisk stil över en samtida svensk hjälte, blev en torso. Som det nu är, handlar det inte om den regent Karl XI blev utan om de förväntningar som knöts till honom. Tyngdpunkten ligger på den unge kungens studier och hans resa till Uppsala.

Partiet om Uppsalaresan börjar med en skildring av hur kungen glömmer "de Nymfers leek ok danssar" för att i stället ägna sig åt krigskonsten, åt "Trummor, wallar, skanssar/ Canoners puff ok paff". Men innan dess vill han "i Phoebus' lunder gå/ ok först den lagerkrantz, som Phoebus ger, undfå". Vi ser alltså tre möjliga roller som kungen dras till: ledaren av sällskapslivet, krigaren, den lärde. Man bör nog inte tänka sig att Karl XI som ung verkligen frestades av detta val. Det är Columbus som placerar honom i en Hercules-situation, med tre möjligheter. Alla tre hade förekommit i *Hercules*, fastän krigarrollen hade skymts undan av den lärdes roll. Columbus låter i stället studierna vara en förberedelse för den egentliga rollen, krigarens. Men den hinner han som sagt inte spela i eposfragmentet.

Snart fick kungen spela krigarrollen i verkligheten. Men under krigsåren skrivs inte mycket om detta. Det kan bero på att diktarna inte ville uppträda så länge läget var osäkert; en vändning i kriget kunde snart göra deras ord illa passande.

Karl XI:s uppfostran. Medalj J P Breuer 1665. Kungl Myntkabinettet. Foto Bengt A Lundberg, RAÄ.

Fredsslutet 1679 föranledde däremot mycken poesi. En förnämlig plats bland de många dikterna intar Haquin Spegels "Om Friden [– – –] år 1679, tå Mars och Saturnus tillika vpgingo, och Venus kom näst för dagranden". Den har inte bara en ledig diktion utan genomför också den i och för sig inte ovanliga astronomiska fiktionen på ett konsekvent och fyndigt sätt. Eftersom dikten är föga känd citeras den i sin helhet:

Så är then sälle frid wid midnatt vnderskrefwen,
Och af förmörkelsen en herlig klarhet blefwen
På Sweriges horizont. Mars hade wäl wisst ämnat
At åter gå i fäldt och hårdt thet inpass hämnat,
Som honom tå war skedt, i thy Saturnus tänckte
At komma alt förnär, han gräntzen hans inskränkte.
Ty wille honom Mars ha med all hast tilbaka,
Fast om han himmelen och jorden skulle skaka.
Men Venus kom förvt, steg sachta i sitt stelle,
Och på ett fogligt sätt afwende thet owälde.
Hon wetste, huru liuft thet är om nattetiden,
Och huru arg then är, som sådan ro ei lider.
Ja, om thet Gudarna tå monde wäl behaga,
Tilböd hon sig med sin förmedling willia laga,
At man ei skulle mer af Martis wrede höra:
Han skulle andras sömn ei widare förstöra:
Hon wille wärjan hans vti sitt sköte gömma,
Samt kraftigt hielpa, at Saturnus skulle römma.
Thet werk gick lycksamt an; ty strax som Mars blef
waken,
Fick Phoebus thenna post: Förlijkt är hela saken;
Mars samtyckt har til Frid, och Venus welat loffwa,
På thet at alle må om natten roligt soffwa,
Och Mars ei nånsin mer skal öfwer inträng klaga,
Så må han hennes rum och hela circel taga.

Det sakförhållande som döljs under den astronomiska förklädnaden är att Sverige, som här kallas Mars, och Danmark, Saturnus, trots danskt övertag kan sluta fred genom giftermålet mellan Karl XI och Ulrika Eleonora. Detta är Venus', kärleksgudinnans, verk. Hon har överlistat Mars och Saturnus och skapat fred genom att Mars fått inta hela hennes plats på himlen. Spegel hörde till krigets fiender, något som tydligt framgår av den fredspredikan han höll 1675, strax efter krigsutbrottet, en av de märkligaste och mest vältaliga predikningarna från vårt svenska 1600-tal. Men när han talar om "huru liuft thet är om nattetiden/ Och huru arg then är, som sådan ro ei lider", ligger det något annat därunder. Spegel bejakade, såsom framgår bland annat av hans nattskildring i *Guds Werk och Hwila*, sexualiteten, och han såg i den en motvikt mot våld och förtryck.

Det blev Spegel som vigde det kungliga paret i maj 1680. Vid detta tillfälle skrev han en ny dikt, mer kraftfull i diktionen och prydd med sådana allegoriska figurer att den blir typisk för barockens representativa poesi:

Mars rusade till wägs, hans jernwagn hördes rulla;
Hans swerd war hwasst och blanckt, hans koger woro
  fulla;
  Religionen stod på högra sidon stäld;
  Men skrymtad och förklädd; ty så går til i fäldt.
Ärgirughet slog på med ormeflätad piska;
Affecter följde med, som andre hundar bitske;
  The stygge Furier the drogo honom fort;
  Erynnis hade sielf vplåtit Iani port.
Eld, mord, rof, gråt och skri, olycka, wåld och wånda,
Infann sig och förtret, at döden dröja månde.
  En hop af folcket lopp, som sökte efter Guld,
  Men stannade försnart och fick sin del i mull.
Then vsla frid tog flycht och lopp helt häpen vndan;
Men Retten höll man qwar i starcka bojor bundan.

Det är en åskådlig och sann skildring av vad som sker i krig. Religionen kan inte framträda så som den borde utan blir kamouflerad och förklädd: Spegel visste som fältpräst väl vad det innebar. Han ser lika litet som i sin fredspredikan några höga ideal bakom kriget: det som driver på är äregirighet och andra affekter. Med kriget följer eldsvådor, mord, stöld och andra olyckor, ja, det värsta av allt är att döden inte kommer och befriar. En del människor vill göra sig en vinst på kriget, men om dem sägs drastiskt att de "stannade försnart och fick sin del i mull".

Allegori över Karl XI:s och Ulrika Eleonoras förening. D K Ehren-strahl 1692. Drottningholm. Foto SPA.

Alltsammans är emellertid framställt i allegoriens form. Kriget, religionen, äregirigheten, affekterna, friden och rätten är personifierade och i vissa fall försedda med emblematiska attribut. Man kan se för sina ögon en tavla, där Mars med sin vagn finns i mitten, religionen står maskerad vid sidan, äregirigheten slår med piskan på Mars' hästar, affekterna löper som arga hundar hetsande vid sidan och rätten hålls bunden intill vagnen, medan friden flyr ut ur tavlan. Denna del av dikten är med sitt allegoriska språk en litterär motsvarighet till den allegoriska representativa målning Allan Ellenius beskrivit i sin bok *Karolinska bildidéer*.

Efter ett avsnitt om storpolitiken slutar dikten med att konkret skildra krigets elände:

Thes Konung war i fäldt, thess Städer vti fara,
Thes Skepp i lägerwall, thes hamner vti snara;
Dock rett i thy thet såg så faseligt illa vt,
Och hela luften war vpfyld med lod och krut;
När Stycken dundrade så Jorden måtte gunga,
Och Swerden blenckte, som wi se i thordön Liunga,
När Enckiors tårar the vthbrusto, som en flod,
Och dageligt föll rägn af dyra manna-blod.
När Sterops pustade och Brontus kohlen ökte,
Vulcanus smidde swerd och Mars at hämnas sökte,
Tå kom Mercurius och sade med sött liud,
At Gud gaf Riket frid och Konungen en Brud.

Bröllopet nämns först i slutet av dikten och i en komprimerad rad. Det är det bakomliggande kriget som är huvudsaken. Men fastän dikten är riktad till kungen, nämns hans insatser i kriget inte med ett ord. Här finns ingen plats för heroism; kriget är blott och bart ett vansinne.

Alla dikter som skrevs vid det solenna tillfället har inte så ståtlig form. Olof Rudbeck, som annars var en så stortalig göt och ivrig propagandist, åstadkom en mycket enkel dikt av folkvisekaraktär:

En Konung kom af Marken,
Trött genom swåran jacht,

Vulcanus i sin smedja. Detalj av tapet ur en serie vävda i Mortlake, överlämnade till Karl X Gustav under fälttåget i Polen av Ludvig XIV. Husgerådskammaren. Foto Husgerådskammaren.

Som han har haft med Ulfwen,
Biörn, Leion, wildiur stark.

Ok fan så uppå Gaarden
En dufwa skiön ok käck,
Af Karl-lijkt blod uprunnen,
I Gudligh dygder täck.

Den lyste han rät jaga,
At winna til sin roo,
Han fek den ok fast taga,
Som war af hiertat goo.

Leef begge hiertligt samman,
Til des er begge Gud
Han för til Himmelz gamman,
Såsom sin kära brud.

Rudbeck har dolt sitt namn under "O! Roligh bonde I Gamla Upsala by". Bondefiktionen kan förklara diktens nästan tafatta form.

Från 1680 börjar en ovanligt lång fredsperiod för Sverige. Den politik Karl XI slog in på syftade att undvika krig. Det gällde att bevara den vunna stormaktsställningen. Inrikesfrågorna, ordnandet av landets finanser, reduktionen och stärkandet av försvaret blev det viktiga. Kungen blev rikshushållaren, som outtröttligt reste runt och inspekterade olika grenar av förvaltningen. Medan diktarna ute i Europa skrev om hovets tilldragelser, om regenternas hundar och hästar, blev kungens resor föremål för poesi i Sverige. Kungen framträder som "demokratisk", något som han sannolikt strävade efter. Vid hans besök i Sala silvergruva skrev Erik Lindschöld en enkel dikt med början "Kong Carl den elffte haar på denna Tunna farit". Några år senare, 1694, gjorde kungen en resa till Torneå, där han såg midnattssolen. Över detta diktade Petrus Lagerlöf:

Wår store Konung, som, en sannskyll Solens lijke,
Med waksam åsyn fahr kring om sitt heela Rijke,

Har sielf i Törnö-Stad, ther Beltska Tethys Famn
Har Nordwärtz fäst sitt Mål och sidsta Segel-Hamn,
Med egen Ögon sedt, hur' Solen Natten öfwer
Den blijda Sommartijd sin Glantz ey nedersöfwer;
Hur' hon knapt något Dygn sig döljer i sitt lopp.

Lagerlöf griper till tidens gängse bild av kungen som en sol. Men detta gör han till en karakteristik av kungen, som likt midnattssolen aldrig tröttades att vaka.

Framför allt vid kungens födelsedagar framträdde diktarna med sina hyllningar. Och i dessa hyllningar förvandlas bilden av kungen alltmer. Krigaren försvinner, fredsuppehållaren och statshushållaren kommer i stället. Förändringen är mycket tydlig i en av de mest ambitiösa födelsedagsdikterna, Torsten Rudeens från 1696, småningom tryckt tillsammans med en dikt över Karl XII under titeln "Finska Helicons underdånige Fägne-Sånger". Rudeen talar visserligen om kriget, om hur "the danska Leyon wakna" och om kungens tre segrar. Men även om han drastiskt säger "at Skånska Feldten än af danska skallar hwitna", är det inte krigsinsatserna han uppehåller sig vid. I stället betonar han krigets elände:

Tå ey at fächta war moot krut och ståhl allena/
Men och moot pest och swult/ moot heta och mot
köld:
Tå ingen stijg war frij för dråp/ för råån/ för Stöld/
Och alla plågor synts moot Swerget sig förena.

Om själva kriget säger Rudeen att han "lämnar sådant til en bättre skuren fiäder". Detta är en principdeklaration. Ty i fortsättningen talar Rudeen om vad han vill göra, och då låter han sig inte hejda:

Men iag har waldt för mig the frijd-befrämiand
dygder/
At prijsa som iag kan: Tin waaksamhet/ Tin nåd/
At Tu med färdig hiälp/ med rätt/ med råd och dåd
Nytt öde skapadt har kring hela Nordens bygder.

Detta kan Rudeen skriva om. Och det blir ett pro-
gram. "Willfarelsen", säger han, "har them ett namn
af Hieltar gifwit/ Som endast färga lärdt sitt swärd i
mennskioblod", och han fortsätter:

Then ey then starkast är/ som land och städer winner/
Men then wäll/ som sig sielf har hålla lärdt i tömm/
Beskydda weet sitt Folck/ är om then usla öm:
En större än som then man ingen Hiälte finner.

På gammalt stoiskt vis ställs den som förmår styra sig
själv framför den som segrar över andra. Detta blir ett
led i en argumentering för fredspolitiken. Som exem-
pel på krigaren nämns Tamerlan, som "kom fahrand
lik en blixt" och "hwars swärd all Folck förskräckte".
Var är han nu? Han är nu glömd, ty:

Så war på ijs och snö titt stora ryckte grunnat:
Thet brann som krut och halm: är släckt och mehr
ey hördt.
Hwad orsak? jo/ när tu all werlden har förstördt/
Har tu och them förstördt/ som om tig skrifwa kunnat.

Rudeen ser den krigiska äran som något snabbt för-
svinnande, eftersom den förhindrar dikten, som ska-
par evig ära. Föredömet för en kung är enligt Rudeen
Augustus, "för thet han mitt i högsta wreden/ På frid
och nåden tänckt".
    Genom sin karaktär och sitt sätt att regera har Karl
XI vunnit sitt folk. Han behöver inget "folkrijkt
Garde", ty "hwar Swensk Hans lifwacht är". Han ger
sig ingen ro i sin omsorg om folket. Rudeen berättar
en anekdot: när någon klagar över att han fått en svår
uppgift svarade kungen: "Gör som iag/ gör hwad tu
gör med glädie".
    Denna dikt och andra ger anledning tro att det mot
slutet av Karl XI:s regering rådde en annan opinion i
Sverige än under den tid då stormaktsväldet grundades
och man ansåg att Sverige hade en krigisk mission i
Europa. Detta är lätt att förstå. Fortsatt expansion
tedde sig inte möjlig, och det senaste kriget hade visat
hur svag stormaktsställningen var.

Allegori över Karl XI:s fredliga regering. D K Ehrenstrahl 1695.
Drottningholm. Foto SPA.

Vid Karl XI:s förtidiga död kände alla som ägde diktarförmåga sig manade att hylla sin kung. Runt om i stormaktsväldet skrevs panegyriker, på olika språk, den ena ståtligare än den andra. Israel Holmström framträdde på riddarhuset med en alexandrindikt om 1 228 verser. Borta i Narva satt en annan av tidens kända författare, Isac Börk, som en gång varit en drivande kraft i Dän Swänska Theatren men nu var rektor vid stadsskolan i den avlägsna gränsstaden, och skrev en nästan lika ståtlig dikt om 99 sexradiga stanser och därtill sex sådana som inledning, alltså tillsammans 630 verser. Nere i Pommern diktade lantmätaren Gunno Dahlstierna den dikt som skulle ta priset, i längd och konstnärlighet, *Kunga-Skald*, bestående av 268 åttaradiga stanser eller 2 144 verser. Kortare dikter skrevs av bland andra biskopen i Linköping, Haquin Spegel, och av Gabriel Tuderus, som var kyrkoherde i Torneå, längst uppe i norr.

Det är intressant att se vad diktarna betonar, när de nu kan summera Karl XI:s kungagärning.

Krigaren får sitt i alla de stora dikterna. Börk framhåller, hur kungen stod i främsta ledet:

Gunno (Eurelius) Dahlstierna, 1661–1709, överdirektor, matematiker och skald. Okänd konstnär. Foto SPA.

Bland Martis dunder åg de stora Bombers skro,
Bland Rök, bland Eld åg Krut, bland blåtta Swärd åg
Lantzar,
Så lyste aldrafrämst Kong CAROLS Swärd åg
Pantzar,
Besprängt åg drypande mäd Hiältars Hiärte-blo,
Hwart han sig swängde så bestred han alla Kanter,
Hälst han had Tapperhet åg Lykkan till Drabanter.

Här finns ingen skygghet för det gräsliga. Men kungen framställs som i en allegori, med de personifierade Tapperheten och Lyckan som drabanter, och det drypande blodet blir bara en dekoration. Vi är långt från Rudeens skildring av kriget och även från Spegels, trots de allegoriska inslagen däri. I fortsättningen nämns – givetvis – Halmstad, Lund och Landskrona, men inte för att konkret visa vad som hände:

Åg som ditt första prof lär Makan aldrig se;
Såm du en fruktan straxt din fiender injagat,
Så hafwer ingen Mer af Kitzlighet behagat,
Att skiffta wappen mäd, dig oförlijklige,
Hwar ha seen önskat ha dän Elfte Carl försona,
Sen de lärd kännan för Lund, Halmstad åg
LandzCrona.

Vad detta än är, historisk sanning är det inte. Börk lämnar också snart krigaren för att tala desto mer om fredskungen:

Ty såm dän Ädla frijd han ar en dyrbar skatt,
Såm han mäd mångas Blod dyrt Kiöpes åg äj hittes,
Altså han äfwen wäl mäd swårighet besittes,
hälst sedan Redlighet nu tykkes sagt go-Natt!
Dåkk har här wid Kong Carl med sådan åmsikt setat,
Att Man på många åhr, äj af nå'n ofred wetat!

Här framställs Freden som ett resultat av kungens omsorg. I fortsättningen uppehåller diktaren sig vid kungens olika aktiviteter. I sin ungdom visade han sig som en hjälte, men sedan har rättrådigheten prytt honom, så att han har skipat lag, hjälpt de svaga och straffat de vrånga. Omsorgen om de fattiga framhålles särskilt, främst hjälpen under hungeråren. Men också de kulturella insatserna nämns.

Israel Holmströms långa dikt är poetiskt mer framstående än Börks ofta torftiga verser. Början är ståtlig. Med hjälp av den figur som den klassiska retoriken kallade "klimax" och andra konstmässigheter målas en allegorisk bild av det sörjande Sverige:

För fyra åhr sen satt wårt Swerie gråtögdt neder/
Men nu så ligger det öfw'r ända frucktar iag:
Öfw'r ända utaf Sorg och Ängslan/ som iag
frucktar/
Jag fruchtar Herrans Hand oss alt för mycke
tucktar/
Jag fruchtar Glädien wår har sedt sin sidsta Dag:
Sin sidsta Dag i det wår Glädie-Sohl gått neder/
Och skiner aldrig mehr på Sweries sorgsna Städer;
Men lämnar dem ock oss i ängslans mörker qwar:
Ett mörker som för oss alt hopp och gådt betäcker/
Ett fasligt mörker som oss tröstlöse förskräcker/
Ett mörker som oss nehr i mörka Grafwen drar:

Efter denna inledning, som omfattar flera sidor, följer Holmström kungens liv alltifrån trontillträdet. Han skildrar kriget och kallar kungen en Gideon. Han nämner såväl Halmstad som – några sidor senare – Lund och Landskrona. Men krigaren Holmström stannar inte som Börk vid någon schablonartad alle-

gori. Han skildrar hur kungen måste ligga ute med sina soldater och lida med dem:

Den tijd då Kiöld och Fråst som mäst oss plä
beswära/
Då Snöö och Slagg till Knäs i kalla Lägret stod.
Den tijd då mången plä i Stufwu-Dörren rysa/
Då låg han uti Fält och måst för wår skull frysa/
Dock kylde Kiölden ey dess heta Hielte-Blod.

Någon utslätad och skön bild av kriget ger Holmström inte:

Det war wäl ynkligt/ men doch präktigt till at
skåda
Hur' röda Floden kring om hwita Landet flöt.

De visuella bilderna måste till för att understryka att kungen uthärdade allt.

Men kriget blir bara en episod i Holmströms dikt. Liksom Börk skildrar han främst fredskungen. Och liksom Rudeen menar han att det är "ett större Wärk/ som mehr Beröm förtient" att kämpa med sig själv och sina begärelser än att tvinga en fiende på flykten. När kriget var slut "så giol [gjorde] han Fred/ och hölt den rätt". Holmström lyckas ge skickliga uttryck åt kungens rättvisa, hans omsorg om alla, hans flärdfrihet:

Den ena tillätz ey den andras åth sig rycka/
Den mäcktiga feck ey den swaga undertrycka/
Han hölt balancen rätt emällan Hög och Låg.
Han giör sig till en Trähl för sina Trälar alla/
Och tienar sielfwer dem som honom Tiäna bordt.
Ty han bå Natt och Dag för Rijksens bästa waka
Uti Arbetsamhet fans ingestäns hans maka/
Ja Lättian har han kiört uhr Land och Rijke fort.

Karl XI:s förtidiga död ser Holmström också som en följd av överansträngning:

Des aldrig tagne Roo/ dess alt för stora Möda
Giör allas Hiertan Sorg och allas Ögon röda:
Haa Kungen om sitt Lif/ oss om wår Konung brakt.

Karl XI som Apollo (solguden). D K Ehrenstrahl 1670 eller 1673. Drottningholm. Foto SPA.

I den tredje stora dikten över Karl XI, den mest kända av dem, Dahlstiernas *Kunga-Skald*, skildras också både krigarkungen och den arbetande fredskungen. Men det sker inte direkt utan genom att representanter för de olika stånden får framhålla vad kungen gjort för vart stånd för sig. Det faller på adelsmannen att frammana krigaren. Dahlstierna berättar inte, han dramatiserar. Från fiendelägret kan han rapportera att det där ropats att "Kung Carl är Sielf i Raden" och att detta satte större skräck i danskarna än "tusen Stycke-Skått". Detta var vid Halmstad. Vid Lund kämpade

Karl i frost och snö, och därför byggde Tapperheten själv "i Iis och Snö" en triumfbåge som solen aldrig skall smälta.

Adelsmannen ser bara krigaren. Det är prästen som får framhålla att

Konst är att skaffa Fred; men Freden att behålla
I Ofreds mykna Raass/ där hörer mera till,

och att

Och på så frijan Baan Regera sielfwan sig/
Det är allt meer/ än all de Fältslag Kungar winna.

Hur Karl XI befordrat handeln och gjort landet känt över hela jordklotet berättar köpmannen, borgerskapets representant. Och bonden kallar kungen "wårt Beskiärm/ wår Maakelösa Kung".

Vi ser alltså att det även i panegyrikerna vid Karl XI:s död främst är de fredliga insatserna som prisas. Bedrifterna under kriget nämns visserligen, men kungen framstår egentligen som en fredskung, full av nit för rättvisa och iver att hjälpa de svaga.

När den femtonårige Karl XII kröntes den 14 december 1697, hyllades han av många diktare. Man kunde vänta att diktarna skulle ha svårt att finna stoff för sina hyllningar. Men det tycks inte vara fallet: förhoppningar och schabloner får ersätta det faktiska. Georg Törnqvist, på sin tid en av Dän Swänska Theatrens medlemmar, griper i sin hyllningsdikt till de kraftigaste jämförelser han kan finna. Den unge kungen är "täkk som Dagens konung är/ När utur Målnen han sitt blida Anlet wisar". Molnen är olyckorna åren före Karl XI:s död, hans frånfälle och slottsbranden. Men jämförelsen med solen räcker inte:

Jag tror att ifrån dät när första CHAOS blef
Fördelat uti Jord/ i Watten/ Eld åg Wäder/
Åg från dät Menskior först bebygde Land åg Städer
Åg sen att Nöden däm till wissa Riken dref/

Så har knapt något Land af en så långsam Natt/
Åg af så dunkel åg så mödsam Tid blitt plågat/

Såm Swärje/ hwilket fått ett mätt af Tärar rägat/
At dät af Ängslan nu åg Suchan blitt hel matt.

Det är mot denna mörka bakgrund Karl XII:s fram-
trädande skall ses. Kungen skall borga för en lyckli-
gare tid. Törnqvist är emellertid medveten om hur
tveeggat ett sådant resonemang är. De föregående
olyckorna kan ju skyllas på den döde kungen! Han
skyndar sig därför att försäkra:

> *Bort dät at nånsin wij utur wårt Minne slå/*
> *O Stora Konung Carl dän Waksamhet åg Käärlek/*
> *Hwar med tu hugnat åss uti all Lykkans Wärlek/*
> *Bort att wårt Sinne skal ifrå tin Graf-Sten gå.*

Vi ser här den konflikt som diktaren hamnade i, när
han med uppbjudande av retorikens yttersta medel till
amplificatio framställde kungen som orsaken till allt
som skedde landet.

I motsats till sin fader blev Karl XII enbart krigar-
konung. Han kom att vinna många segrar men också
att till sist beröva Sverige dess stormaktsställning. Man
kunde vänta, att den insikt om fredens nödvändighet
som försports i så många dikter över Karl XI skulle
hindra poeterna från att hylla krigsinsatserna. Så är
likväl inte fallet. Redan slaget vid Narva utlöste en
myckenhet poesi. Genomgående framställs Karl XII
som den unge hjälten. Carl Gyllenborg förundras i sin
"aria", skriven till en segerfest i februari 1701, över
hjälten som besegrade två folk "innom helften af ett
åhr", och Johan Gabriel Werving jämför i en annan
aria Karls "läre-prof" med alla Roms mästerstycken:

> *Så har nu Rom ey mehr behof*
> *Om sina Hieltar skryta mycke,*
> *   Som giordt mång' Rijken till sitt rof*
> *Och wunnit alla tiders tycke;*
> *Ey spisar deras Mästerstycke*
> *   Moot CARL den Tolftes Läre-prof.*

Olof Westerlund, som undersökt dikterna över Karl
XII, menar att kungens senare segrar inte besjöngs så

flitigt. Det är kanske sant. Någon fullständig inventer-
ing har dock inte gjorts ännu. En tidigare inte upp-
märksammad dikt, som trycktes långt fram på 1700-
talet i Erik Ekholms *Svenska fataburen* del 9,
beskriver de första krigsåren nästan som en gyllene
tid:

> *Säge, hwad man säga wil:*
> *All ting går nu riktigt til;*
> *Hwart man hälst sin' ögon wänder,*
> *Klappa folk med fägnad händer.*
> *Den som förr sig önskte död,*
> *Och som lefde i stor nöd,*
> *Är nu mer än mycket glader,*
> *Och wälsignar Landsens Fader.*
> *Wid Hofwet fritt din lycka sök,*
> *Der sälger man ej mera rök.*
> *Falskhet är som Ryssen slagen,*
> *Ingen blir nu mer bedragen.*

Man undrar nästan, om inte dikten är ironiskt menad.
Men den bör tagas på allvar. Kungens segrar prisas och
sägs överträffa alla andras:

> *Ja, Kung CARL, I redan gjort*
> *Det man ännu aldrig spordt:*
> *Rysse, Polack, Saxar klappat,*
> *Altid wunnit, aldrig tappat.*

Versen flyter ledigt, och metern är den av Holmström
så omtyckta vers burlesque, vilket gör att man undrar
om inte denne skrivit dikten. Holmström vistades
emellertid, så vitt vi vet, hela tiden hos kungen i fält.

Som Westerlund visat kunde man, liksom beträf-
fande Gustav II Adolfs deltagande i trettioåriga kriget,
se Karl XII:s härtåg som en gudomlig mission, som
uppfyllelsen av en svärmisk Messiasförväntan. Detta
upphörde inte med Poltava och vistelsen i Turkiet;
tvärtom gav nöden ny näring åt sådana förväntningar.
Skall man tro diktarna, var det inte slut på hoppet om
nya segrar. I en visa heter det:

Skryt lagom du min kjäre Ryss. –
Ty leken är begynt nu nyss:
Poltava du wäl minnas lär, –
Den sidste dantzen slöts ey där.

Men det hade också uppstått en opinion som talade om en annan dans. En visa med stor spridning börjar:

Ryssen winner Land och Skantzar,
Stockholm dricker, swärmar, dantzar.

Trots det svåra läget och den politiska osäkerheten blev Karl XII även vid sin död hyllad av diktarna. Visserligen skapades det inga så stora panegyriker som Dahlstiernas och Holmströms över Karl XI. Men kungen lovas dock oförbehållsamt. Någon kritik kan man knappast märka. Kungens krigiska insatser prisas, som i dessa rader av Olof Rudbeck den yngre:

The flydde när han kom. Han såg them, och the föllo.
The modigt stodo mot, the högges ned med allo.
Här halp tå ingen mur: eij båtad någon wall,
Mot wärjan och gå på: alt föll som swedje-fall.

Främst betonas emellertid kungens stoiska hållning och hans förmåga att uthärda alla vedermödor och motgångar. Nederlagen har han ingen skuld i, de är prövningar som han måste utstå.

Under den långa tid som behandlats, undergick kungapanegyriken en viss omvandling. Framför allt kom genren att framstå som problematisk.

Kungen är i den representativa poesien inte en individ, en människa med mänskliga brister och svagheter. Visserligen kan han momentant individualiseras, såsom vi har sett i flera dikter till Karl XI, men detta bryter mot panegyrikens sätt att se kungen som landets företrädare och därmed bärare av de egenskaper landet anses äga eller böra äga. Förhållandet mellan kungen och landet beskrivs i enlighet därmed som ett familjeförhållande: kungen är fader till landets inbyggare och förmäld med en personifikation av Sverige, vanligen benämnd Svea. När kungen lever är familjen hel, när kungen dör blir Svea en sörjande änka och barnen faderlösa och värnlösa. Redan Wollimhaus framställer Svea som en sörjande änka efter Karl X Gustavs död:

Än hwad ähr nylig hänt, hwad för een dyrbar skatt
Haar Gud, wår gode Gud, förlänt oss, när wij platt
Wor' lijf- och wärne-löös, när Swea som en Änckia
Uthgiöt sin tåre-flod [– – –]
Wij mena, när wår Faar, wår hiält, wår Segerförste,
Wår kroon aff Israel, näst Gud den aldrastörste,
Wår tappre Josua bleef rychter oss ifrå
Och måste werldens wäg till Herrans hallar gåå.

Detta, som hos Wollimhaus bara är antydningar, utvecklas kraftigt i *Kunga-Skald*. Där går Svea närmast kistan i begravningsprocessionen som den hejdlöst sörjande änkan. Men hon är inte änka så länge: den unge Karl tar henne vid handen och ber henne betänka att hon som kristen inte bör sörja omåttligt. När solen gjort nitton resor efter Karl XII:s födelse, alltså när han fyllt 18 år, då skall hon som hittills varit änka åter bli brud! Så konkret framställs bilden av Svea som änka. Som bekant kom hennes änkestånd inte ens att vara dessa tre år.

Men genren kräver också att kungen lyfts upp i en sfär ovanför allt mänskligt. I "Discursus astropoeticus" är kungen närmast identisk med Sverige och kallas Mars, efter krigsguden. Den hårda vintern är en följd av ett himmelskt skeende, en konstellation mellan Mars och Saturnus. Namnet Karl ledde till att kungen under 1600-talet förbands med Karlavagnen. Sveriges nordliga läge medverkade härtill, liksom till att kungen kom att förbindas med den aldrig nedgående Polstjärnan. Den stående bilden för kungen blev emellertid solen. Alltifrån slutet av 1660-talet framställs kungen i dikt och bild som solen, poängterar Kurt Johannesson i sin undersökning av solmetafori-

Karl XI:s begravningsmedalj 1697 av Arvid Karlsteen.
Kungl Myntkabinettet. Foto Bengt A Lundberg, RAÄ.

kens roll i kungahyllningarna. Samuel Columbus kallar i sin balett "Herculis wägewal" från 1669 Karl XI "Nordsens Blida sol", Erik Lindschöld benämner honom likaledes "Nordske Soolen", och Ehrenstrahl målar honom 1670 som solguden Apollon. I Sverige förefaller detta då vara nytt, men som bekant hade Ludvig XIV börjat kalla sig "Roi Soleil", och redan Henrik IV hade av Rubens i Medicigalleriet skildrats som Solen, från vilken de vilda djuren drar sig tillbaka. Längre fram under Karl XI:s tid upprepas solmetaforiken. När kungen stiger ned i Sala silvergruva, slår Karlsteen en medalj som visar hur solens strålar når ned i de djupaste schakten, och när han besöker Torneå föranleder detta, som vi sett, Lagerlöf att likna kungen vid midnattssolen. På denna händelse anspelar

också Dahlstierna, då han låter prästeståndets talare säga:

> *ty såg han och de Tiäll*
> *I norra Tornö-mark dijt aldrig Kung för hunnit:*
> *Där/ Swea/ har din Sool sin Sool om Midnatt funnit!*

Sveas sol = den verkliga solen har där sett sin sol = kungen. Panegyriken når sina yttersta gränser: kungen står inte bara över alla människor utan över de skapade tingen och nära Gud.

Solen var nämligen sedan gammalt den främsta bilden för Gud. I psalmerna under 1600-talet kallas Gud själens sol, och Jesus är den Nådens sol som gått upp för att lysa över människorna. Men i de profana panegyrikerna tilldelas kungen denna roll, ibland med ord som lånats från de andliga texterna. I Lindschölds citerade dikt sägs inte bara om kungen att han "är sielff en Sool" utan också att han "med sitt Nådeskeen/ Til Wördnat Troo och Kärleek upwäcker hwar och een". I den dedikation till kungen som inleder *Kunga-Skald* ber Dahlstierna kungen stärka "de blöde Rijm" och säger om honom att liksom "alle Kungars Kung" gläds åt barnens lov, så gör också "min Konung". Själva scenen vid kungabåren förs blasfemiskt nära scenen vid Jesu död, inte bara genom att hela naturen liksom där deltar i skådespelet utan också genom att Swea intar Marias roll vid korset, då det om henne heter att ett "Sorgeswärd/ I hennes Hiärta stod", liksom det om Maria, med syfte på Jesu död, sägs att "också genom din själ skall ett svärd gå".

När kungen når sin yttersta upphöjelse kommer han oändligt långt från sina undersåtar och från diktaren själv. Diktaren måste fråga sig om han är värdig att skriva om ett så högt ämne. Problematiken är tydlig i *Kunga-Skald.* Dahlstierna framställer sig själv som ett obetydligt djur, en gräshoppa djupt nere i dalen. Det är bara vissheten om att solen ser ända ner till den obetydliga gräshoppan och att kungen gör likadant, som gör att diktaren, vacklande mellan "Håpp och Tweekan" fördristar sig att sjunga. Diktaren är medveten om att klagan över kungars död, "det måste stoore Männ med lärdan Munn framdraga". Den dikt som han ändå skapar är heller inte diktarens verk utan Thalias! På det sättet räddar diktaren sig, samtidigt som kungens ära görs ännu större, då ju själva musan besjungit honom. Det hela är ett retoriskt knep, men det blottar samtidigt panegyrikens dilemma.

Alla var inte mäktiga sådana knep. Men det var likväl allas plikt att prisa kungen. Och samtidigt var kungahyllningar det bästa sättet att dra till sig uppmärksamhet och vinna ämbeten. Panegyriken var på grund av sin genre och de krav som kommit att ställas på den den vanskligaste av alla genrer. Steget från det sublima till det löjliga var mycket kort. När fransk-klassicismens krav på natur och sanning började göra sig gällande framstod detta ännu tydligare. Samuel Triewald uttrycker det i sin bekanta dikt "Om dem, som inbilla sig vara Poeter", skriven 1708, vid en tid då kungahyllningarna florerade:

Men alt mitt tolamod måst' jag då nästan glömma,
När med oskuren fiär en sådan wil berömma
  Wår stora Carols namn, och hwad hans arm har
    giordt,
  Då drifwer harmen sielf min tröga penna fort.

En Alexanders Bild bör en Appelles måla,
Augusti ros kan ej en Bönhas penna tåla;
  Man til en Hieltes pris så snart ei werser giör,
  Som han ur mark och fält sin starka fiend' kiör.

Triewald förkastar inte panegyriken i och för sig; längre fram prisar han Rudeens "Finska Helicons Fägne-Sånger" som god sådan. Men han framhåller att inte vem som helst kan skriva panegyrik och att det är fåfängt att skriva vers om var seger Karl XII vinner. Panegyriken tar nämligen tid att skriva. Triewald ser

alltså, helt i konsekvens med den utveckling genren undergått, panegyriken som en otroligt krävande genre, eftersom ämnet var så högt och måste upphöjas.

Samtidigt kunde man inte komma ifrån att kungen var en människa, med mänskliga drag och brister. Såg man kungen som orsak till allt gott som hände landet, riskerade man, som vi såg i Törnqvists dikt, att också se honom som orsak till det onda. Och därtill kom att politiken under Karl XI:s tid krävde ett närmande till folket. Prakt stod kungen inte efter, inte för egen del. Han utfärdade 1678 en resolution som syftade till avskaffande av begravningsståten.

Dessa tendenser borde ha lett till måttlighet i det konstnärliga uttrycket och till realism. I den sena stormaktstidens konst gör sig också, som Allan Ellenius visat ifråga om Ehrenstrahl, en dragning åt realismen gällande både i porträtt- och i naturmålningen. Vi finner en liknande tendens på sina håll i litteraturen. Dikterna kan ha beskrivningar av kungen i hans vardagsbestyr eller av krigets hemska verklighet, insprängda i det panegyriska. Panegyriken når sin höjdpunkt under enväldet, men den bär i sig element som strider mot dess anda.

Med enväldets fall förlorar genren också sin raison d'être. Kungamaktens förhärligande var inte längre någon samhällsuppgift, och Fredrik I inbjöd med sin karaktär inte till panegyrik. Det må ha varit Carl Gustaf Cederhielm eller någon annan motståndare till Fredrik I som skrev det bekanta epigrammet, men historien har låtit det besannas:

Alt hwad sin period til högsta punkten sedt,
Måst åter strax igen sitt sidsta Inte röna,
Kung Carl man nyss begrof, Kung Fredrich wi nu
  kröna.
Så har wårt Swenska Ur gått rätt från Tolf till Ett.

REFERENSER

Texter av Stiernhielm och Dahlstierna har hämtats ur *Svenska författare utgivna av Svenska Vitterhetssamfundet*, vol VIII resp VII; texterna av Spegel ur Haquin Spegel: *Åtskilliga Poetiska Skrifter, Norrkjöping* 1745; texterna av Columbus, Wollimhaus, Lindschöld, Rudbeck d ä och d y, Lagerlöf och Tuderus ur *Samlade vitterhetsarbeten*, utg av P Hanselli; övriga tryckta texter ur originaltryck.

För uppsatsen har i första hand utnyttjats: Ellenius, A: *Karolinska bildidéer*, Uppsala 1966; Johannesson, K: *I Polstjärnans tecken*, Uppsala 1968; Westerlund, O: *Karl XII i svensk litteratur*, Lund 1951.

En barock historia

Om den svenska 1600-talslyxen och dess plats i samhällsomvandlingen

Margareta Revera

Den svenska 1600-talsaristokratins barocka överdåd är på många sätt en laddad historia. Så har det alltid varit – det var från början själva andemeningen med lyxen. Att denna lyx fortfarande kan vara spännande skall jag försöka visa med den här artikeln. Förutsatt att vi ser på företeelsen med nya ögon, kanske en diplomatfrus brev från 1670-talets Stockholm kan avslöja något om de inre drivkrafterna till 1600-talssamhällets förändring.

Visserligen uppgick adeln till mindre än 0,5 % av befolkningen och högadeln eller aristokratin till en bråkdel av adeln, men jordinnehavet var desto större, liksom innehavet av indräktiga ämbeten och tjänster. Av landets egna, inhemska tillgångar var det följaktligen här som de stora resurserna fanns, med en stark koncentration till aristokratin. Det kan därför inte ha varit likgiltigt hur man valt att utnyttja dessa resurser – varken för adeln själv, för andra befolkningsgrupper eller för samhällsutvecklingen i stort.

Något överraskande kan det tyckas, har detta aldrig utforskats systematiskt. Den privata ekonomins utgiftssida har inte intresserat historikerna i tillnärmelsevis samma grad som inkomstsidan, vilket har att göra med att det av tradition ansetts att 1600-talsadelns rikedomar förslösats på lyx, åtminstone inom den särskilt resursstarka aristokratin. Bakom detta skall ha legat en ny, i dubbel mening barock, livsstil, som resulterat i en högreståndskultur, vilken dels inte har räknats till den "vanliga" och än mindre till den socioekonomiska historiens undersökningsdomäner, dels ansetts ha motverkat en samhällsförändring i progressiv riktning genom att förhindra sparande och kapitalinvesteringar. Aristokratins barocka överdåd

har således inte erbjudit något problem i positiv bemärkelse. Med bl a konst-, musik-, litteratur- och idé- och lärdomshistorien förhåller det sig naturligtvis annorlunda. För dessa ämnen utgör olika yttringar av högreståndskulturen självklara undersökningsobjekt. Sammanhållna överblickar är däremot sällsynta och på det hela taget bortses här från de sociala och i synnerhet från de ekonomiska sammanhangen, även om det numera hör till vanligheten att man i sina analyser går utöver det renodlat estetiska eller idémässiga.

Trots de genomgripande förändringar, som inträdet på den storpolitiska arenan fört med sig, brukar det svenska 1600-talssamhället framställas som jämförelsevis outvecklat och gammalmodigt. Detta med utgångspunkt från tillståndet inom den agrara sektorn. Inom den nyare 1600-talsforskningen har man dock börjat ifrågasätta de invanda föreställningarna om agrarsamhällets omvandlingsprocess. I samband härmed har också adelns resursutnyttjande kommit i blickpunkten. Ett annat synsätt har under hand vuxit fram, som går ut på att den svenska 1600-talsadeln förvisso har ägnat sig åt lyxkonsumtion, vilket förefaller att ha fått effekter av ett sådant slag (också utanför kulturområdet), att det kan hävdas att högreståndskulturen bidragit till 1600-talssamhällets "modernisering".

Synsättets preliminära karaktär måste understrykas. Det handlar om en besvärlig forskningsuppgift, som hittills legat i ett ingenmansland mellan skilda ämnen och vetenskapsområden. En "tvärvetenskaplig" forskningssamverkan har därför planerats, men ännu inte tagit sin början.

Den förkastliga lyxen

Knappast något annat århundrade i svensk historia torde vara så bemängt med myter som 1600-talet. En del har avslöjats mycket snabbt som Olof Rudbecks götiska historieromantik, andra har det tagit längre tid att vederlägga. Exempel på det senare är "skattefrälsefrågan", dvs uppfattningen att de självägande bönderna drabbats särskilt hårt av vad som kallats 1600-talets adelsvälde, samt att allmogens ställning som ett fritt stånd varit hotad, innan reduktionen kom till böndernas räddning. Slutligen förekommer det myter, som ingen tagit sig för att granska. Dit hör påståendet att det skall ha varit Magnus Gabriel De la Gardie, som införde lyxen till Sverige. Underförstått att lyxen i huvudsak får hänföras till tiden efter 1650.

Föreställningen om De la Gardie som lyxintroduktören par excellence överenstämmer med rikskanslerns egen syn på saken, bevarad för eftervärlden av Lorenzo Magalotti i dennes resebeskrivning av Sverige år 1674. Vi kan därmed utgå ifrån att detta var något som De la Gardie berömde sig av, vilket redan det – på mer än ett sätt – ger anledning till eftertanke. Mot detta skall ställas riksdrotsen Per Brahe d y:s analys från 1675 av orsakerna till tidens onda, nämligen det yngre släktets svaghet med dess högmod, högfärd och liv i överflöd, dvs i lyx. Här är det fråga om ett fördömande av karaktärer och livsstil hos den yngre generationen, dit De la Gardie – men inte Brahe – måste räknas. Det vanskliga i att ta Brahes uttalande till intäkt för en faktisk generationsskillnad ligger i öppen dag. Om inte annat tjänar det som ett memento att Brahes far var ytterligt missbelåten med sonens dryga utgifter, när denne åren kring 1620 befann sig på sin utländska studieresa. Klädinköpen försvarades då av sonen med att det inte var tillräckligt att ha tak över huvudet, om man ville leva ståndsmässigt bland utlänningarna. För lyxens, den nya livsstilens och högreståndskulturens historia i Sverige är detta av allt att döma en viktigare passus än aldrig så många samtida vittnesmål om att det mesta skall ha berott på, eller

åtminstone i tiden sammanfallit med, ett generationsskifte inom aristokratin.

Ändå är det just den uppfattningen, som genomsyrat litteraturen.

Generationsskiftestesen har sin upprinnelse i en åsiktstradition, som härstammar från 1800-talets politiska historieskrivning. Traditionen grundar sig inte på någon egentlig forskning kring vare sig resursutnyttjande eller högreståndskultur. Kännetecknande är en moralistisk grundinställning, som a priori sätter likhetstecken mellan lyx, överdrifter och ett i alla avseenden förkastligt slöseri. Vidare en förfalls- eller degenerationstematik, innebärande att bl a en fördärvelsebringande svaghet för lyx skall ha utmärkt stormaktstidens aristokrater fr o m efterföljarna till 30-åriga krigets veteraner.

I den historievetenskapliga litteraturen möter uppfattningen om 1600-talsaristokratins förfall, som känns igen från Per Brahe d y, första gången hos Anders Fryxell. Genom sin våldsamma opposition strax före 1850 mot det tidigare ensidiga aristokratfördömandet i svensk historieskrivning, har Fryxell kommit att framstå som den kanske främste förespråkaren av den svenska adelns historiska förtjänster. Men för Karl XI:s aristokratiska förmyndarregering 1660–1672 med De la Gardie i spetsen, liksom för adeln i gemen vid samma tid, har han bara hårda ord till övers. Reduktioner och räfster, rådsaristokratins fall och det kungliga enväldet, allt framstår mot bakgrunden av det skildrade förfallet inom förmyndarstyrelsen, i rådet och på Riddarhuset som en närmast ofrånkomlig utveckling hos Fryxell, även om han påpekar att liknande lösningar också hade prövats på andra håll. De var en del av "tidsandan".

Att aristokratin börjat leva på för stor fot och att rådsherrarna därför skall ha tagit emot mutor från utlandet, framhålls av Fryxell som förkastligt och förödande, liksom oenigheten på Riddarhuset kring frågan om rangordningen. Men därutöver är Fryxell inte särskilt tydlig i fråga om hur han har sett på förfallets

*"Så lever man vid hovet",
ur Rosenhanes Hortus Re-
gius. Kungl Biblioteket.*

orsaker. F. F. Carlson har däremot inte svävat på målet, när han omkring ett kvartssekel senare gav sitt svar på den frågan. Från utlandet, där adeln förtjänstfullt tjänat landet i krig och vid underhandlingar, hade man tagit sådana intryck och anspråk med sig hem, som hängde ihop med en "utländsk finare bildning". Med de nya rikedomarnas hjälp pryddes hemlandet med slottsbyggen, och vitterhet och konst omhuldades. Men man hade samtidigt "böjt sig för den förfi-

nade bildningens försvagande inflytelse", varför adeln (som av Carlson betecknas som på en gång brådmogen och övermogen) inte längre "hyste... den inre kraft, som kunde uppbära så stora anspråk".

Förfallstematiken fick stor genomslagskraft, vilket till en början torde ha att göra med att degenerationsbegreppet var på modet under 1800-talets andra hälft och användes som (o)vetenskaplig förklaring i alla möjliga sammanhang. Man förutsatte att urartning var något som utmärkte s k kultursläkter till skillnad från framförallt allmogen – en föreställning, som kommer till uttryck hos bl a Pontus Fahlbeck i dennes arbete om *Sveriges adel* från åren kring sekelskiftet. Och i den populärvetenskapliga, person- och kulturhistoriska litteraturen kunde det vid samma tid heta: "Från de krigiska bragdernas tid gled man småningom över i processernas och arvstvisternas; från förläningarnas gyllene ålder trädde svenska högadeln in i reduktionens." Här återges också, med ett underförstått instämmande, Brahes nyssnämnda beskyllningar mot det yngre släktet. I grund och botten är det samma synsätt som genljuder ännu 1939, när Birger Steckzén i sin biografi över Johan Banér kontrasterar fältmarskalken mot den yngre generationen generaler, som inte bara var krigare utan också lekte "nouveaux riches" efter att ha "läppjat på de förföriska franska vinerna".

Det moraliserande draget i många äldre, kulturhistoriska arbeten har ofta påtalats. Vad man dessutom måste ha klart för sig är att det föreligger ett bestämt system i moraliserandet i fråga om bedömningen av 1600-talets ledande samhällsskikt. Inte minst gäller detta för Ellen Fries, vars i övrigt utomordentligt värdefulla författarskap från 1800-talets två sista decennier utmärks av en påfallande kritisk hållning gentemot aristokratin fr o m Magnus Gabriel De la Gardies uppdykande på den politiska scenen, och till livsstilen i hans kretsar, som skall ha kännetecknats av bl a fåfänga, lyxbegär, slöseri och "bristande allmänanda". Den nya ämbetsadeln beskrivs i allt väsentligt som samma andas barn, framförallt med hjälp av Katharina Wallenstedts interiörer från 1670-talets Stockholm. Detta kontrasteras effektfullt mot den äldre generationen, vanligen representerad av Axel Oxenstierna och dennes statsklokhet, fosterlandskärlek, arbetsamhet, oegennytta samt – inte minst viktigt – sparsamhet och ovilja mot all lyx. Det säger sig självt att en historisk verklighetsuppfattning av det här slaget (som Fries

Riksdrotsen Per Brahe d y 1675. Skokloster. Foto SPA.

alltså långt ifrån är ensam om, och som f ö inte bara har utmärkt kulturhistoriska och inte uteslutande äldre arbeten) lätt får konsekvenser, t ex i ett nedtonande av de bevisligen ganska starka motsättningarna inom rådsaristokratin redan under 1630- och 1640-talen, eller i en oförmåga att upptäcka den tidens arvstvister eller rangstrider.

I Fries' fall – och vad beträffar adelns lyxkonsumtion – blir följden den, att när hon stöter på den rika heminredningslyxen hos t ex Ebba Leijonhufvud, samtida till och god vän med Oxenstierna och änka efter den siste Sturen, så framställs detta som något väsensskilt från den nästkommande generationens lyxbegär, och den redan nu fantastiska ståten i samband med bröllop och begravningar stämplas överhuvud taget inte som lyx. Av påståendet hos Fries att Axel Oxenstierna ogillade *"onödig* prakt" (kursiverat här), som det någon gång kan heta i stället för det mera vanliga att han inte var någon vän av lyx, framgår dock att distinktionen mellan generationerna på den här punkten inte varit alldeles oproblematisk. Men så har hon också sett, dels med vilken ståt som Oxenstierna själv och den svenska delegationen har uppträtt under de förhandlingar som skulle leda fram till freden i Brömsebro, dels hur den oxenstiernska sparsamheten totalt sattes ur spel i samband med sonen Eriks uppehåll i Paris 1645. Likmätigt faderns "reputation och namn" har sonen fått uppträda med all den lyx som anstod en grand seigneur, vilket inom parentes sagt möjliggjordes genom penninglån från Louis De Geer.

Samma tidfästande av lyxen och den nya livsstilen som hos Fries, och även en liknande motsägelsefullhet, påträffas i många sentida konst- och kuturhistoriska arbeten, vilka måste tillmätas en speciell sakkunskap på själva lyx-området. Inte oväntat beskrivs utvecklingen här i mera positiva ordalag (även om det ofta hävdas att den svenska lyxen har varit mera kvantitativt än kvalitativt imponerande). Talet om aristokratins degeneration har avlösts av talet om en brytningstid mellan generationerna. Det är också här som vi stöter på vad jag i avsnittets början kallade myten om att Magnus Gabriel De la Gardie skall ha infört lyxen till Sverige. Vid en fest skall denne t ex ha imponerat på sina gäster genom att duka med bestick till alla, vilket innebar en tidigare aldrig skådad husgerådslyx. I övrigt framhålls tidssambandet med krigsslutet och godsavsöndringarna, varefter adeln i mån av råd och lägenhet skall ha följt aristokratin i spåren. För den snabba spridningen av överklassens nya livsstil brukar också drottning Kristina tillmätas en viktig roll – hennes hektiska och påkostade nöjesliv skall ha varit mönsterbildande. "Knektfasonerna" avlöstes härigenom av "de eleganta manéren", som Bertil Waldén har formulerat det i *Svenska folket genom tiderna.*

Det motsägelsefulla påståendet att lyxintroduktören De la Gardie, i sin nya franska dräkt på Munnichhovens berömda dubbelporträtt från tidigt 1650-tal, har uppträtt med ett suveränt förakt för alla lyxförbud, förvånar inte mot bakgrunden av traditionen på området. Med lyxförbud avses de s k överflödsförordningarna, som alltså existerat redan vid den här tiden och som till yttermera visso sattes ur spel av Kristina i samband med förberedelserna inför hennes kröning. Samtiden tycks alltså redan tidigare ha ansett att det förelåg en utbredd lyx, som det fordrades lagstiftning för att stävja.

Men om detta är det ganska tyst i litteraturen till följd av den väletablerade tesen om generationsskillnaden. Det måste t ex vara därför som man hittills haft svårt att upptäcka den lyx på bostadsområdet, som på sina håll förekom i och omkring 1630-talets Stockholm och som den franske legationssekreteraren Charles Ogier ger glimtar av i sin kulturhistoriskt intressanta dagbok. I stället har man dröjt vid de miljöer, som inte fann nåd inför Ogiers blickar, vilket tagits till intäkt för en ännu rådande enkelhet inom den svenska aristokratin.

Behandlingen av pfalzgreven Johan Kasimir, svåger till Gustav II Adolf och far till den blivande Karl X Gustav, är betecknande. I den biografiska litteraturen har pfalzgreven och hans maka, prinsessan Katarina omskrivits som förhållandevis fattiga och framförallt mycket sparsamma. Detta i motsats till sonen, som framställts som en stor slösare och lyxkonsument, till sina föräldrars oro. Denne hade dock fått en systematisk utbildning till "honnête homme", vilket behandlas av Arne Losman i denna publikation. Och "trots sin stora sparsamhet", som Sten Karling säger i *Trädgårdskonstens historia i Sverige*, har pfalzgreven byggt flera slott och detta t o m samtidigt; hans planmässiga byggnadsverksamhet under 1620- och 1630-talen har i själva verket dominerat varje annan. Att Johan Kasimirs hem samtidigt utmärktes av en inte obetydlig heminredningslyx, framgår av William Karlsons *Ståt och vardag i stormaktstidens herremanshem*. Men detta är ju för tidigt för att stämma överens med den vanliga uppfattningen, som Karlson genomgående gör sig till talesman för. Problemet löses på så sätt att Johan Kasimirs tidiga heminredningslyx (bort)förklaras med att pfalzgreven, såsom utlänning och befryndad med kungahuset, inte var representativ för den svenska herremannaklassen. En ståndpunkt, som inger tvivel bl a av det skälet att flera högadliga ätter varit släkt med kungen. Om man går igenom Karlsons detaljrika dokumentation, bohagspersedel för bohagspersedel, skall man dessutom finna att "modern" heminredningsståt har förekommit också hos Carl Carlsson Gyllenhielm, Jacob De la Gardie och Åke Tott senast omkring 1630 och att bohaget på Tyresö varit utomordentligt rikt redan vid Gustaf Oxenstiernas död 1648. Det är fö troligt att skaran av tidiga lyxkonsumenter blivit större, om inte de aristokratiska hemmen – från tiden före 30-åriga krigets slut – varit så kraftigt underrepresenterade i det väldiga undersökningsmaterialet. Ebba Leijonhufvuds förnämliga bohag, som omtalas av Fries, har t ex inte kommit med.

Det skall tilläggas, att det inte är lättare att få en rättvisande bild av lyx, livsstilar och högreståndskultur under stormaktstidens slutskede. Också här har

traditionen spelat in, men här rör det sig om den tradition som säger att aristokratin (eller t o m adeln) har krossats av räfst, reduktion och envälde samt att det karolinska enväldets män huvudsakligen bestått av en samling okultiverade uppkomlingar. Som lätt inses, härstammar denna från reduktionens och enväldets motståndare inom den gamla högadeln. En av dem var ciceron åt den italienske markisen Alessandro Bichi på besök i Stockholm 1696, dvs 22 år efter landsmannen Magalotti, som blev så imponerad av lyxen i 1670-talets Stockholm att han betecknade den svenska huvudstaden som en fransk koloni. Bichis reseanteckningar refererades 1896 av Elof Tegnér i *Svenska bilder från sextonhundratalet*, vilket föranlät Tegnér att tala om "spillror" av "den gamla prakten". Enligt Karlson skall nedgången i antalet tjänstefolk ha varit särskilt slående. Som orsak anförs reduktionen och senare Karl XII-krigen, och som exempel Maria Sofia De la Gardies, Axel Lillie d y:s och Axel Julius De la Gardies personalstater. Men inte ett ord om hur det har förhållit sig hos t ex Nils Bielke, Erik Lindschöld, Carl Piper och Fabian Wrede. Eller hos Carl Gyllenstierna, vars "smak och livsstil" knappast har skilt sig så totalt "från huvudparten av hans samtida ståndsbröder", som det har påståtts.

Att den svenska 1600-talslyxen har existerat parallellt med en utbredd fattigdom i samhället i övrigt, har utgjort ett problem för flera författare. Hänvisningar till Eli F. Heckscher och dennes negativa slutomdöme om 1600-talets välståndsutveckling, är inte ovanliga i sammanhanget. Det är riktigt att Heckscher anser att en standardsänkning inträtt sedan 1500-talet, för folkets bredare lager. Detta som en följd av krigen, stormaktspolitiken och adelns stora skatteuttag från bönderna, vartill kommer att de dryga kostnaderna för särskilt högadelns konsumtion omöjliggjort en satsning på jordbruk och övrigt näringsliv från det hållet. När Heckscher därtill finner att lyxartiklar såsom viner och finare textilier ännu vid 1600-talets slut

Maria Sophia De la Gardie 1643. Maltesholm. Foto SPA.

Borgardamen Barbro Blancks porträtt från 1654 visar att nyadelns kvinnor eftersträvade samma dräktlyx som aristokratins damer. Hälsinglands museum, Hudiksvall. Foto SPA.

utgjort en viktig del av importen, konstateras att 1600-
talet, i detta avseende, "i allt väsentligt stod kvar på
den gamla hushållningens grund". Produktion och
handel hade fortfarande störst betydelse för aristokra-
tins behov, inte för de bredare folklagren.

Återigen alltså en bedömning av den svenska 1600-
talslyxen såsom varande förkastlig, men den här
gången från den ende som från historiskt (dvs ekono-
misk-historiskt) håll, på senare tid (= 1930-talet), har
intresserat sig för saken. Inte heller nu grundas slutsat-
serna om lyxen på några egentliga undersökningar.
Däremot är det ekonomisk teori som styrt tankegång-
arna, inte något moralistiskt fördömande av lyxen.
Heckschers ointresse för förmögenhetsöverföringarna
i samhället, när han finner att kapital förslösas, förkla-
ras t ex av detta; det är ett naturligt synsätt för en
liberal nationalekonom (för en historiematerialist
också, för den delen). Därför är det till sist intressant
att notera, att Heckscher tidfäster aristokratins begyn-
nande lyxkonsumtion till senare delen av 1500-talet.
Från att till en början främst ha gällt mat och dryck,
skall lyxen sedan ha spritt sig till de flesta av livsfö-
ringens områden. Hos några stormän med kulturella
anspråk var lyxen "europeiskt betonad"; hos flertalet
framgångsrika officerare var den snarare "grov och
barbarisk". Men om något generationsskifte är det
alltså inte tal.

En förbisedd högkonjunktur
Räfst, reduktion och envälde, aristokratins kris m a o,
plus stagnation inom näringslivet och kanske en stan-
dardsänkning för folkflertalet – det är inte litet, som
den svenska 1600-talslyxen anses ha förorsakat, eller
åtminstone medverkat till. Och på så kort tid, skulle
man kunna tillägga, om inte uppgifterna om tidpunk-
ten för lyxkonsumtionens början varit så motstridiga.
Därtill utan att några undersökningar av lyxens sam-
hälleliga effekter företagits, och utan att begreppet lyx
definierats. Rör det sig om ytterligare en myt om
1600-talssamhället?

Jag skulle tro det. Som inledningsvis nämndes pågår
forskning från ett alternativt synsätt, där adelns lyx-
konsumtion tillmäts en positiv roll i samhällets
omvandlingsprocess. Därvid kastas också nytt ljus
över vad som har benämnts aristokratins kris.

Det nya synsättets förutsättningar utgörs av de
senaste decenniernas socialhistoriskt och statsfinan-
siellt inriktade 1600-talsforskning i framförallt Upp-
sala. Som en följd därav tillbakavisas numera i allmän-
het den länge allenarådande bilden av 1600-talets ody-
namiska agrarsamhälle, enligt vilken samhällsomvand-
lingen tog sin början först sedan "adelsväldet" gått i
graven, i och med den stora reduktionen. Heckschers
klassiska syntesförsök i *Sveriges ekonomiska historia*
har också på avgörande punkter vederlagts, vilket är
viktigt att känna till, liksom att den inställning till
lyxen, som uttrycktes där, utgjorde en integrerad del
av Heckschers helhetsuppfattning om stormaktssam-
hället.

En primär och mycket fruktbar infallsvinkel har
varit att studera krigens och krigsmaktens betydelse
för den förändringsprocess, som bl a innebar en väldig
tillväxt av skattestaten och den offentliga sektorn. Om
detta handlar Sven A Nilssons bidrag i denna publika-
tion. Där betonas att de omfattande godsavsöndring-
arna kring 1600-talets mitt, och därmed adelns enorma
förmögenhetsökning, var en följd av militärstatens
behov att belöna och betala sina krigare och kredito-
rer, samtidigt som adeln bands till staten. Härigenom
uppstod en mycket stor och jämförelsevis privat sek-
tor, som också den – i betydelsen adelns resursutnytt-
jande – har visat sig värd att angripa med frågor om
ekonomi och samhällsstruktur.

Idén att adelns resursutnyttjande kunde inrymma
viktiga samhällsförändringsmekanismer, trots att
resurserna förslösades och inte investerades på ett i
konventionell mening fruktbart sätt, föddes hos mig i
samband med en undersökning av Magnus Gabriel De
la Gardies godsbildning och godsdrift 1650–1680. Den
lyxkonsumtion, som jag främst kom i kontakt med

där, var den lika statusmässiga som kapitalkrävande och arbetskraftsintensiva byggenskapen, som godsägaren medvetet och systematiskt prioriterat framför en vinstmaximering av godsdriften, för vilket vissa beräkningar dock har företagits. Andra värdenormer än att maximera avkastningen i modern bemärkelse måste därför ha styrt resursutnyttjandet, vilket också en konstaterad omläggning av böndernas naturaprestationer till penningskatter, i syfte att underlätta de många kreditorernas betalning, lät ana. Vissa kontroller gav stöd för antagandet att De la Gardie inte på något avgörande sätt kan ha skilt sig från aristokratin i övrigt. Här fanns alltså stöd för en syn på 1600-talslyxen som någonting annat än degenererade aristokraters irrationella och fördärvelsebringande överdrifter, som kan ha fått andra och progressiva följdverkningar, vid sidan av den negativa effekten av hämmad kapitalackumulation. Förutsatt vill säga, att De la Gardie, tillsammans med den lilla krets som har utgjort aristokratin, inte har varit alltför unik i sitt resursutnyttjande.

Det var bl a en lyckosam kombination av en stor mängd bevarade brev och räkenskaper, som gjorde det möjligt att i fallet De la Gardie bestämma godsdrifttens/resursutnyttjandets intentioner, genomförande och effekter. Den nya forskningsuppgiften krävde andra metoder och en bestämning av begreppet lyx, som mera knöt an till lyxens innebörd för utövarna, och till vissa konsumtionsområden, än till konsumtionsnivån (som utmärkt det gamla synsättets "slöseri" och "överdrifter"). En teori om lyxens spridning genom normer och/eller tävlan krävdes också; för en effektiv spridning i 1600-talssamhället har fordrats mera än att folk "i mån av råd och lägenhet" har kopierat ett visst konsumtionsmönster.

För arbetet med teorin kunde inspiration till att börja med hämtas från arbeten, som gällde andra länder än Sverige, trots de i flera avseenden skiljaktiga yttre och inre förhållandena. Olikheterna har också gällt tidpunkten för aristokratins våldsamma konsumtionsökning, som på kontinenten, i England och även i Danmark skall ha nått sin kulmen redan under 1600-talets första decennier.

Så t ex har Lawrence Stone, i sitt arbete om den engelska aristokratins kris 1558–1641, i Thorstein Veblens efterföljd betraktat lyxkonsumtionen som en statussymbol, dvs som en sysselsättning, som tjänat en bestämd, social funktion: att avgränsa aristokratin från samhället i övrigt. Begreppet ges också ett empiriskt innehåll i form av ett antal (för den engelska aristokratin särskilt viktiga) konsumtionsområden: byggenskapen/bostaden och den därmed sammanhängande hovhållningen med dess talrika skaror av tjänstefolk och barbariskt påkostade festligheter, klädedräkt, karosser, spel och dobbel samt begravningsskick. Som Stone dessutom visar har det kungliga hovet visat vägen i fråga om denna lyxkonsumtion. För den europeiska kontinentens vidkommande har Jürgen von Kruedener talat om ett institutionaliserat konsumtionstvång, med de kungliga hoven som normgivare. Och i Norbert Elias' och von Kruedeners historisktsociologiska strukturmodell, som visserligen gäller absolutismens "hovsamhälle", ingår en "höfische Konkurrenzkampf" som en viktig beståndsdel. Social deklassering och ekonomisk ruin hotade den, som inte framgångsrikt deltog i den kampen. Vad som hittills sagts skulle kunna ha att göra med den genomgripande förändring, som Jürgen Habermas beskrivit som en upplösning av medeltidens feodala, ridderliga "offentlighet" och dess ersättande med en representativ "offentlighet", koncentrerad till furstens hov. För svenskt vidkommande har Nils Runeby diskuterat hithörande frågor i anslutning till en idéanalys av Per Brahe d y:s adelsuppfattning, varvid han gör det viktiga påpekandet att den representativa funktionen också var en nationell angelägenhet, på så sätt att "den representativa offentligheten borde vara av kontinentalt snitt för att Sverige skulle tas på allvar som stormakt och en ordentligt organiserad stat".

Men även om aristokratins konsumtionsmönster

hos flera utländska författare, ingår som en pusselbit i något slags samhällsomvandlingsmodell, fann jag ingenstans något liknande det synsätt, som förtrogenheten med De la Gardies resursutnyttjande gav uppslag till. Här kunde jag emellertid anknyta till det bland nationalekonomer vanliga påståendet om marknadens (efterfrågans) begränsade omfattning som ett viktigt hinder för ekonomisk tillväxt. För en äldre tid har också naturahushållningen lagt hinder i vägen. Överskott och kapitalackumulation, samt en vilja att eftersträva produktiva investeringar, är följaktligen inte nog. I ett samhälle av det svenska 1600-talssamhällets typ kunde det t o m bli ett slag i luften. Antagandet gick alltså ut på att stormaktstidens lyxkonsumtion på olika sätt har bidragit till att råda bot på marknadens litenhet.

Härmed hade en preliminär teori om den svenska 1600-talslyxens funktion och effekter åstadkommits. I tillämpliga delar ligger denna i linje med det sätt, varpå man numera gärna från de estetiska vetenskapernas sida ser på olika yttringar av 1600-talets högståndskultur, vilkas utpräglat politiska eller representativa innebörd ofta betonas.

Vad som hittills har genomförts är en omfattande "pilotstudie" varigenom lyxkonsumtionens funktion, utbredning, kostnader, finansiering och efterfrågan på bl a material och arbetskraft har fastställts i stora drag. Undersökningen bekräftar den preliminära teorin och gör samtidigt klart, att lyxkonsumtionens följdverkningar förtjänar att utforskas närmare.

Man kan följaktligen slå fast, att aristokratins lyxkonsumtion i 1600-talets Sverige haft samma sociala funktion som på andra håll, och att i stort sett samma områden har omhuldats. (Med undantag för spel och dobbel, vars storhetstid i Sverige ligger senare i tiden.) Lyxkonsumtionen har också utan tvekan smittat av sig på den övriga adeln och inte ens gjort halt vid ståndsgränsen. Resultatet har blivit en långvarig högkonjunktur för stora och små köpmän och för hantverk av

alla de slag, men också för vissa produkter från bondejordbruket. Efterfrågan på arbetskraft, inklusive tjänstefolk, har dessutom varit betydande. De erforderliga resurserna har i hög grad hämtats inom landet; krigsbytenas roll i dessa sammanhang är t ex våldsamt överdriven och knappast någon har gått i land med att "bygga för tyska pengar", som det har påståtts. Även om kapital har flutit ut ur landet för inköp av utländska lyxprodukter, måste merparten ha kommit hemlandet till godo. Av detta följer att lyxkonsumtionen bör ha resulterat i en väldig förmögenhetsomfördelning i det svenska 1600-talssamhället. Men även på andra sätt har marknaden vidgats.

Det furstligt/aristokratiska konsumtionsmönstret kom jämförelsevis sent till Sverige – fullt synligt utanför kungahuset blir det först på 1630-talet. Tävlingen var då i full gång, vilket bl a bekräftas av Ogiers ord att riksskattmästaren Gabriel Bengtsson Oxenstierna just byggt ett lantslott "till hela stadens avund". Men om starten var sen, så har konsumtionen i gengäld på kort tid nått en högst imponerande nivå, vilket förklaras av den nyblivna stormaktens självhävdelsebehov i förening med den inhemska konkurrensen om makt, nådevedermälen och social prestige. Den avsedda PR-effekten uteblev inte heller: redan 1649 rapporterar ett spanskt sändebud att lyxen i Sverige var större än i något annat land i förhållande till tillgångarna. Kulmen var då långtifrån nådd.

Att lyxkonsumtionen i själva verket startat som en fredlig gren av stormaktspolitiken, är knappast förvånande mot bakgrunden av Gustav II Adolfs-tidens kraftfulla organisationsarbete, också på kulturområdet. Efter kungens död vilade ansvaret för landets kulturella framtoning på aristokratin och angränsande kretsar, för vilka den offentliga och privata sfären numera till stor del sammanföll (vilket inte utesluter egennytta). "Vi har tidigare alltid haft våra solenniteter för oss själva", invände en rådsherre (inte helt sanningsenligt) när han befarade att torftigheten bakom stormaktsfasaden skulle avslöjas om man

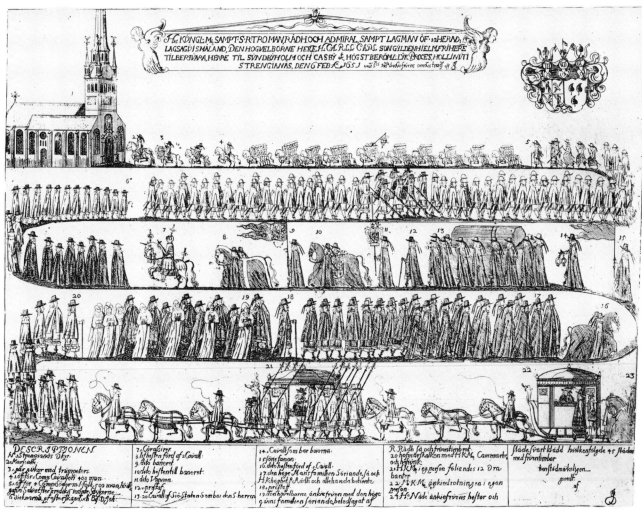

*Begravningsprocessionen då Karl Karlsson Gyllenhielms lik fördes till Strängnäs domkyrka den
6 februari 1651. Gravyr av Johan Sass. Nordiska museet. Foto Nordiska museet.*

inbjöd utländska sändebud till kungens begravning.
Stockholms slott var t ex i skriande behov av renovering och modernisering. Och när Jacob De la Gardie
och Ebba Brahe några år senare väntade utländska
gäster till Jakobsdal, rustades det nybyggda lantslottets inre upp med hjälp av stockholmshemmets bohag.
Detta för att man ville visa "att vi bo som folk även här
i landet". Dessutom saknades det inte motsättningar

inom rådsaristokratin, vilket bidrog till att redan nu
höja konsumtionsnivån, något som också Per Brahes
ståndshögfärd och hyperkänsliga rangmedvetande
gjorde. Inom kort hade man nått därhän att en äldre,
svensk aristokrat kunde ha en tjänarstab (enbart inom
den s k hovhållningen), som stod i paritet med den
engelska aristokratins betjäning, när lyxkonsumtions-
excesserna var som störst i det landet. Sonen har seder-
mera fördubblat antalet.

Med en liknande frenesi har också andra betydelse-
fulla grupper ägnat sig åt lyxkonsumtion. Ofrälse (än
så länge) eller nyadlade affärs- och ämbetsmän
utmärkte sig tidigt som palatsbyggare i Stockholm och
byggde samtidigt herrgårdar på landet. Louis De Geer
byggde t ex Stockholms första palats i holländsk palla-
dianism under åren 1646–1650, efter att dessförinnan
ha uppfört ett palats i tysk-holländsk renässans på
samma tomt. Det "gamla" palatset planerade han att
riva. Han tycks m a o ha delat Axel Oxenstiernas utta-
lade uppfattning, att om man skulle bygga, borde man
bygga "på nytt vis". Beträffande klädedräkten har
Katharina Wallenstedt, själv lågadlig ämbetsmannafru
i 1670-talets Stockholm, grämt sig över att människor i
hennes omgivning har anlagt en finare dräkt redan
innan adelsbreven var underskrivna. Och på samma
sätt som aristokratin höll sig à jour med Paris-modet,
höll sig landsortsadeln underrättad om modet i huvud-
staden. I ett sådant sammanhang fick en adelsdam från
Västergötland av sin kusin, den lågadlige hovjunkaren
Johan Ekeblad, rådet att "inte (sätta) flera spetsar på
än som smörräntan tåla kunde", dvs att klä sig som
hennes ekonomi tillät. Säkert ett välbetänkt råd, som
dock knappast har efterlevts, att döma av landsortsa-
delns skuldsättning hos handelsmän, både lokalt och i
Stockholm. Det bör dock tilläggas att statusjakten
varit mindre hetsig på landet än i huvudstaden, där
publiken var större. Lyxkonsumtionens spridning till
grupper utanför adeln har slutligen tagit sig åtskilliga
uttryck – det mest iögonenfallande torde vara Skepps-
broradens stolta husbyggen, som bara var toppen på

*Lars Kaggs gravkor, Floda kyrka, Södermanland. A Lindbloms
arkiv. Foto ATA.*

ett isberg. Vid upprepade tillfällen utfärdades förbud
för både borgerskap och präster mot viss konsumtion
med anknytning till framförallt gästabud, klädedräkt
och begravningsskick, vittnande om ökade resurser
och ambitioner, men som ansågs förbehållna adeln.
Förbuden tycks framförallt ha åstadkommit att lyxens
attraktionskraft ökat.

För denna redan från början dyrbara lyxkonsum-
tion inträder fr o m 1650-talet en veritabel kostnads-
explosion som en följd av den skärpta "konkurrens-
kampen" tillsammans med den smak- och stilföränd-
ring på flertalet lyxkonsumtionsområden, som då slår

igenom. Väl att märka senast då, ty aristokratins "fransyska" intresse är märkbart redan på 1630-talet, då t ex Axel Oxenstierna var sysselsatt med ett magnifikt palatsprojekt i fransk stil för egen räkning. Från lågadligt, nyadlat håll finns exempel på att den franska, hovmannamässiga livsstilen lovprisats som nyttig för blivande stats- och hovtjänare redan på 1640-talet. Om den samtidigt skärpta konkurrensen till följd av fredsslutet har många vittnat. Arvid Forbus bad styvsonen Göran Horn, som befann sig på peregrinationsresa, att sköta studierna ordentligt "förty pennan gäller nu mer än värjan" och den (ännu) ofrälse fortifikationsofficeren Erik Jönsson Dahlbergh befarade att hans befordran skulle dra ut på tiden, särskilt som "så många stora herrebarn" stod i vägen. Han accepterade därför ett fördelaktigt anbud om tjänst som informator och ressällskap åt de båda nyblivna friherrarna Cronstierna och sällade sig därmed till den långa raden av obemedlade unga män, som på detta sätt bereddes möjlighet till utlandsstudier. Därtill ofta vid utbildningsanstalter i Paris och på andra orter, som tidigt ansågs överlägsna de tyska och holländska universiteten om man eftersträvade något annat än en akademisk karriär eller att bli präst. Trots den utbredda penningnöden sedan krigsslutet och trots att så många gick utan tjänst (eller inte fick ut sina löner av staten), kunde emellertid Johan Ekeblad inför Karl X Gustavs kröning 1654 rapportera till sin bror: "Alla människor låta förgylla och skammera sig till kröningen ... Alla guldspetsar och galoner äro redan uppköpta i staden, att icke en aln mera är till fångs...".

Det var också nu, som det beryktade "generationsskiftet" inträffade. Under loppet av några få år på 1650-talet gick åtskilliga äldre stormän ur tiden och den skärpta konkurrensen kan direkt avläsas i den fantastiska prakten i samband med de många begravningarna, vilkas ståtliga processioner dessutom utgjorde förevändning och skådeplats för åtskilliga rangstrider.

Samtidigt som kostnaderna sålunda skjuter i höjden,

upphör den tidigare positiva inkomstutvecklingen för adeln och förbyts i sin motsats genom donationsstopp, partiell reduktion och en nyinförd, personlig beskattning. Nu inleds också den långvariga, internationella konjunkturnedgången för jordbruksprodukter. Den ökade lyxen skulle m a o bekostas med minskade inkomster. Medan det statsfinansiella problemet 1600-talet igenom har varit ett krigsfinansieringsproblem, som Sven A Nilsson framhåller, så har den privata ekonomin framförallt dominerats av problem, som förorsakats av lyxkonsumtionen. Detta var absolut ingen nyhet för 1600-talets andra hälft, men nu förvärrades problemen. Därtill kom att aristokratin i och med kungens död 1660 åter hade en sorts personligt huvudansvar för kulturområdet, samtidigt som man denna gång hade en strålande medtävlare i änkedrottning Hedvig Eleonora, inte minst i fråga om byggnadsföretagen.

Lyxkonsumtionen var ett "måste" för den samhällsklass, som satt inne med makt och resurser och dit allt fler ville räkna sig. När makten var i gungning och resurserna sviktade, ökade detta snarast konsumtionen. Kännetecknande för utvecklingen under den återstående tiden fram till 1680-talets omvälvningar är därför en såväl kvantitativ som kvalitativ ökning av lyxen. Något annat var inte möjligt. Alltför många har varit besjälade av samma inställning som riksskattmästaren Gustaf Bonde, den kände sparsamhetsivraren och De la Gardie-motståndaren i Karl XI:s förmyndarregering. Som byggherre har Bonde varit storslagen. Stockholms första parisiska privathotell i svensk dräkt, tillkommet under 1660-talet, är t ex hans verk. Det var fö hans andra palatsbygge i huvudstaden. Enligt vad Bonde uppgav i sitt testamente måste det nya palatset alltid stanna inom familjen eftersom han byggt det "mera till familjens heder än till sin egen bekvämlighet". Detta är lyxkonsumtionstanken i ett nötskal, här dessutom formulerad av en man, som inte riktigt har räknats till aristokratin.

Räfst, reduktion och envälde, samt Karl XII-krigen,

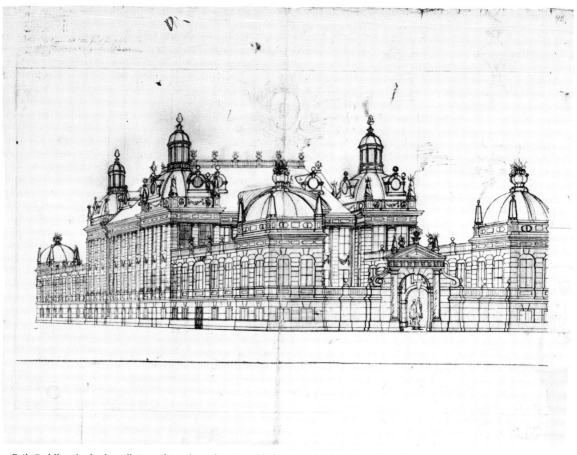

Erik Dahlberghs förslag till Gustaf Bondes palats i Stockholm. Kungl Biblioteket. Foto Kungl Biblioteket.

har inte gjort slut på den nya livsstilen. Lyxen är dock betydligt svårare att karakterisera under stormaktstidens slutskede än under tidigare decennier. Bilden är mindre enhetlig, och vad som i förstone kan se ut som en följd av en radikalt försämrad ekonomi (eller kreditvärdighet) hos de presumtiva lyxkonsumenterna eller av att regenten varit avogt inställd till lyx (som det sagts om Karl XI), kan i stället hänföras till nya, konstnärliga impulser och internationella modeväxlingar eller t o m vara uttryck för att en viss mättnad inträtt. Beträffande regentens hållning, torde betydelsen av denna f ö ha minskat eftersom åtskilliga av det nya enväldets män faktiskt var "inskolade" i högreståndskulturen genom tidigare tjänst hos (hög)adeln

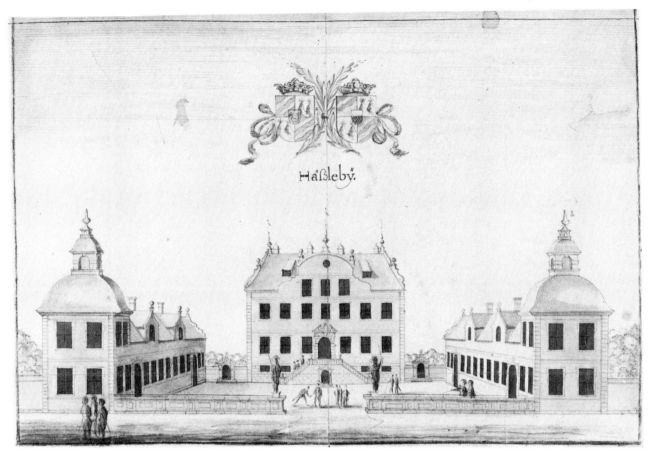

*Erik Dahlberghs teckning till Gustaf Bondes Hässelby i Spånga. Kungl Biblioteket. Foto Kungl
Biblioteket.*

eller t o m kungahuset. Flera hade också hunnit fram-
träda som fullfjädrade lyxkonsumenter i god tid före
enväldet, som t ex Lindschöld. Karl XI:s "enkla och
hushållsaktiga läggning" har därför knappast lyckats
lägga sordin på lyxen i dessa kretsar och med Karl XII
erhöll man åter en utomordentligt nöjeslysten och
praktälskande regent. På kungens tillskyndan och med

Nicodemus Tessin d y som organisatör florerade
under några år ett febrilt nöjesliv med teaterföreställ-
ningar, maskerader, baler och upptåg, helt i den stora,
franska hovstilens anda.

Inom byggenskapen, som i flera avseenden var
det viktigaste lyxkonsumtionsområdet, återtar kunga-
makten nu ledningen, och detta redan under Karl XI,

Carl Gyllenstiernas Steninge, ritat av Nicodemus Tessin d y. Foto Nordiska museet.

som av Tessin gjorts medveten om barockens möjligheter till furstegörhärligande. Den fantastiska byggnads-boom, som lyxkonsumtionen på bostadområdet resulterat i alltifrån c:a 1620–30, klingar ut under 1680-talet. De större privata byggnadsprojekt, som genomförs mot slutet av århundradet, måste betecknas som undantag, t ex Carl Gyllenstiernas Steninge eller Tessins palatsbygge åt sig själv i Stockholm, i kungliga slottets absoluta närhet. I samband med att byggnadsarbetena på det nya slottet påbörjades, påbjöds maxi-

mipriser på murtegel, jämte kunglig förköpsrätt till all kalk och allt murtegel, som tillverkades i landet. I övrigt är det borgarna, som bygger i Stockholm under 1700-talet, och i landsorten bygger de civila och militära indelningshavarna sina boställen. Samtidigt blir många av de gamla stockholmspalatsen manufakturer – en händelse som ser ut som en tanke.

Det minskade privata slotts- och palatsbyggandet innebär med nödvändighet att nivån på det barocka överdådet under stormaktstidens slutskede sänks, vilket förvisso haft att göra med ändrade förmögenhets-förhållanden. Men också med att en viss mättnad mot slutet av 1600-talet inträtt, då nyrika och nyadlade kretsar, med krav på ståndsmässiga bostäder, kunde flytta in i befintliga palats och herrgårdar, förvärvade genom köp, giftermål eller arrende. Samtidigt förefaller lyxkonsumenternas skara att ha breddats ytterligare, vilket tyder på en ekonomisk styrkeförskjutning. Bland de många köparna på auktionen efter Maria Sophia De la Gardie 1694 återfinns sålunda inte bara det kungliga rådet Carl Piper utan också tapetmakaren Gudmund Törnqvist, som köpte en spegel för 532 daler kopparmynt. Ett annat exempel gäller bruket av en av aristokratins finaste statussymboler: karossen. Vid 1700-talets början begärdes att rätten att få bruka dylika vagnar borde förbehållas adeln och krigsbefälet, för att man på så sätt skulle "göra en åtskillnad... stånden emellan". De ständigt återkommande klagomålen över att bl a tjänstefolk gick för fint klädda hör också hemma i sammanhanget. En utveckling av det här slaget bör ha gynnat hemmamarknaden på bekostnad av de utländska lyxproducenterna.

För många lyxkonsumenter har lyxen varit privatekonomiskt förödande. För byggnadsföretagen, som var den drygaste utgiftsposten, har gällt att de i allmänhet blev dubbelt så dyra som beräknat och att resurserna bands upp för lång tid framöver. Kostnaderna för enbart pålningsarbetet till grunden till Jakob De la Gardies magnifika stockholmspalats, har t ex motsvarat c:a två års inkomster av det mycket stora Läckögrevskapet. När fältmarskalken Lennart Torstensson dog 1651 lämnade han i arv flera större, oavslutade byggnadsprojekt och däribland ett palatsbygge i Stockholm, som sonen Anders kunde flytta in i först 1664. Denne har gått till historien som en av de få rådsherrarna från förmyndartiden, som verkligen ruinerats av räfst och reduktion, medan det riktiga förhållandet är att hans ekonomi varit undergrävd sedan länge. På samma sätt lämnade Gustaf Bonde 1667 sitt nyssnämnda palatsbygge i arv ofullbordat, plus inteckningar till väldiga belopp. Efter att också ha drabbats av räfst och reduktion, tvingades änkan att sälja palatset, som dock kunde återbördas till familjen genom att sonen ingick ett rikt gifte.

Stormaktstidens nödtvungna lyxkonsumtion har sålunda medfört en privat skuldsättning, som växte lavinartat. Detsamma gjorde antalet processer. Gods och gårdar har därför bytt ägare långt före 1680-talets omvälvningar, men särskilt högadeln förefaller att ha lyckats skjuta likvidationen på framtiden, varför många har närmat sig räfst och reduktion med en utomordentligt urholkad förmögenhetsställning.

Att det sedan länge pågått en parallell förmögenhetsöverföring till grupper utanför adeln, som försett adeln (och kungahuset) med lyxkonsumtionsvaror, -tjänster och -krediter, är inte svårt att upptäcka. Delvis sammanfaller dessa med de kategorier, som har bistått militärstaten. En som berikat sig på lyxkonsumtionen bland hög och låg är storköpmannen Claude Roquette, som adlades Hägerstierna och som f ö var svärfar till Johan Ekeblad, vilken genom detta giftermål på 1660-talet kunde göra sig kvitt sina fordringsägare. Efter att ha startat som hyresgäst hos Ebba Brahe, som var storkund hos Hägerstierna, ägde denne snart både eget hus och en malmgård utanför staden och därtill många jordegendomar i landsorten. Den ekonomiska styrkeförskjutningen till förmån för borgerliga samhällsskikt (inklusive lågadliga ämbetsmannakretsar med rötterna i dessa), som blir riktigt synligt först på 1680-talet (i bankens inlåning t ex och på jordmarknaden), måste följaktligen vara resultatet av en process, som pågått i decennier. För denna process har adelns specifika resursutnyttjande i form av lyxkonsumtion spelat en viktig roll.

Men lyxkonsumtionen har inte bara varit kapital- och kreditkrävande, den var också utomordentligt sysselsättningsskapande och arbetskraftsintensiv och har dessutom i hög grad krävt betalning i reda pengar, både för varor och tjänster. Behov uppstod därför av

fasta, budgeterbara penninginkomster, vilket inte säl-
lan ledde till överenskommelser med bönderna om
stående penningskatter. Förvandlingen av naturaskat-
ter till pengar har därmed överlåtits på skattdragarna,
som också kan ha bedrivit handel med andra produk-
ter. Resultatet blev en ökad penninghushållning och en
begynnande marknadsintegrering av bondejordbru-
ket. Den kraftigt stegrade efterfrågan på trävaror, sten
och annat material till byggenskapen och på anima-
lieprodukter till hovhållningen bör också på sina håll
ha befordrat en produktionsomläggning. Det före-
kommer att byggherrar har konkurrerat om bräderna,
och prisstegringar för böndernas trävaror har noterats.
Vilka som dragit mest nytta av detta – bönderna eller
köpmännen – är dock ovisst.

Att hantverket nu fick den prägel i fråga om yrkes-
specialiteter, som skulle stå sig till 1800-talet, har
direkt och indirekt att göra med lyxkonsumtionen,
liksom hantverkargruppens kraftiga ökning. För de
mest utpräglade lyxhantverkena tycks fö inte bara
materialkostnaderna utan även "arbetslönerna" ha
varit betydande. Kanske är det därför som så många
guldsmeder kunnat ställa upp som långivare till adeln.
Som minst sagt remarkabel måste också ökningen av
tjänstefolket betecknas, som kunde inrymma allt ifrån
hovmästare, informatorer och huspräster till tvätters-
kor. Löneskillnaderna var stora, vilket förstärktes av
frikostiga gåvor till vissa kategorier av befattningsha-
vare, men inte ens för de lägst ställda har det bara rört
sig om "nålpengar".

Mest slående är ändå byggenskapens arbetskraftsbe-
hov. I utbyte mot frihet från andra skatter har många
bönder presterat mycket fler dagsverken än tidigare.
Dessa har i stor utsträckning gått åt till byggenskapen
medan säterijordbruket måst hållas på sparlåga av brist
på arbetskraft. Dessutom har byggenskapen sysselsatt
otaliga arbetskarlar, dalkarlar, kvinnliga hantlangare
och soldater, förutom ett stort antal hantverkare av
olika slag. Också här har kontantersättningar före-
kommit (vid sidan av ett "indelningsverk" med löne-

Pokal med Karl XI:s monogram tillverkad vid Kungsholms glas-
bruk. Statens konstmuseer. Foto Statens konstmuseer.

hemman), som tillsammans med efterfrågan på transporter av byggnadsmaterial m m har medfört att bondejordbrukets möjligheter till biinkomster radikalt ökat. "Ty ehuruväl de är våra landbönder, är väl icke billigt de som livegna... hanteras skole", löd en skarp reprimand från Magnus Gabriel De la Gardie till en befallningsman, som legat efter med betalningen till några hantverkare. Av betydelse för bönderna har dessutom varit, att byggenskapen inte hade samma nödtvungna säsongsrytm som jordbruket. Under den brådaste tiden för sådd och skörd kunde därför både hantverkare och dagsverksbönder stanna hemma på sina gårdar. Slutligen har det påkostade begravningsceremonielet erbjudit rikliga tillfällen till (extra)inkomster för präster, skolpojkar, soldater och många andra och det klagades högljutt, när begravningsprocessionerna avskaffades mot slutet av århundradet.

Redan nu kan man alltså fastslå att 1600-talslyxen medverkat till att penninghushållningen brett ut sig och att den samtidigt medfört ändrade levandsbetingelser och sannolikt förbättrade utkomstmöjligheter för delar av allmogen. I detta sammanhang bör nämnas Lars-Olof Larssons intressanta iakttagelser av en förhållandevis positiv bebyggelse- och befolkningsutveckling under samma tid i några områden, där det traditionella bondejordbruket kunnat kompletteras med binäringar. Av dessa skäl, och eftersom lyxkonsumtionen därtill har befordrat uppkomsten av sociala mellanskikt och undergrupper, med ingen eller ringa anknytning till bondejordbruket, kan det inte råda någon tvekan om att hemmamarknaden avsevärt måste ha vidgats under 1600-talets lopp.

Om ordningen störs går den under

Så lyder överskriften på en av de allegoriska eller symboliska bilderna – emblemen – i Schering Rosenhanes *Hortus regius*, där fö det sista i raden av emblem åskådliggör hovlivets faror. Emblemet och därtill fogade sentenser handlar om balansförhållandet i staten och om ordningen mellan statskroppens olika delar: furstemakten och de fyra stånden. Det handlar inte alls om adelns resursutnyttjande, det har här bara fått låna rubrik åt några avslutande reflexioner kring hur lyxkonsumtionen har bidragit till att göra 1600-talssamhället både instabilt och dynamiskt.

Den svenska aristokratins kris har av moderna svenska historiker framförallt betraktats och behandlats som ett politiskt problem. Men också donationsstoppet vid sekelmitten och andra uppåtsträvande gruppers ökade utbildning har lanserats som förklaringar till att den gamla högadeln, den politiska och sociala eliten, förlorade sin maktställning. Gemensamt är, att man betraktar aristokratin som en samhällselit, som trots en inbördes splittring i det längsta sökt hålla stånd utåt, t ex mot ett nytt, ambitiöst statstjänarskikt. Delvis är detta naturligtvis riktigt; som vi just konstaterat har det bland mycket annat tagit sig uttryck i ett resursutnyttjande i form av lyxkonsumtion, som hade funktion av statussymbol och som gick tillbaka på internationella förebilder. Men häri låg samtidigt fröet till förändring, till att ordningen stördes, varför upprinnelsen till aristokratins kris, som jag ser det, står att finna redan i stormaktspolitikens krav på en representativ offentlighet.

Detta bl a av det skälet att lyxkonsumtionen systematiskt har befrämjat uppkomsten av "nya män". Enstaka befattningar inom aristokratins hovhållning brukade visserligen besättas med adelsungdom, på samma sätt som aristokratins barn ofta startade sin karriär vid det kungliga hovet, åtminstone under århundradets första hälft. Men flertalet befattningar har innehafts av personer av ofrälse härkomst. Åtskilliga ambitiösa unga män har på detta sätt försetts med ekonomiska resurser och samtidigt en adekvat utbildning för statstjänst. I litteraturen har ofta framhållits att många politiska klientskap har gått tillbaka på dylika tjänsteförhållanden. Med kännedom om vad den adliga generositeten innebar för dessa kategorier, borde man hypotetiskt kunna tänka sig att troheten mot patronen varat så länge det har befunnits lönsamt.

Den avtappning av aristokratins förmögenhet, som lyxkonsumtionen resulterat i, kan i så fall ha gjort läget instabilt.

Ett liknande lönsamhetstänkande kan ha gjort borgerskapet intresserat av en reduktion, förutsatt att man sedan länge haft svårt att få betalt av högadeln och hade erfarenhet av, eller insåg, den numera vidgade hemmamarknadens möjligheter. Ingetdera är osannolikt.

Lyxkonsumtionen har också bäddat för förändring genom att bidra till den betydande förmögenhetsomfördelningen till förmån för borgerliga grupper, med en annan och "modernare" syn på resursutnyttjandet än vad som i allmänhet har utmärkt adeln. Roquette Hägerstierna, som bättre än de flesta var förtrogen med efterfrågans storlek, har t ex investerat i bl a mässings- och lädertillverkning. En omsvängning hos aristokratin och adeln har inte legat långt borta, vilket bl a framgår av aristokraters delägarskap i Kungsholms glasbruk under 1600-talets sista decennier och Riddarhusets engagemang i klädestillverkningen vid Barnängs-manufaktoriet under 1700-talet.

Av stor betydelse för dynamiken på den agrara nivån har den konstaterade byggnings-boomen varit, då inte bara säterierna växte upp som svampar ur jorden, utan också sågar, tegelbruk och många dagsverkstorp. Som en jämförelse kan nämnas att återuppbyggnaden av London efter branden 1666 anses ha fått återverkningar för näringslivet på åtskilliga håll i Europa.

Om behovet i strikt mening hade fått styra konsumtionen av bostäder, kläder, mathållning, tjänstefolk m m, och om ekonomin hade satt gränser för vad man kostade på sig, då hade Maria Sophia De la Gardie knappast skaffat sig ett 50-tal utstyrslar till "fransöska sängar" och servettbeståndet på Axel Lillies Löfstad hade inte behövt öka från 10 dussin 1662 till 53 dussin 1689. Då hade i övrigt det mesta blivit som förut. Då hade med säkerhet också 1600-talets kulturrevolution uteblivit, som innebar att Sverige, från att ha varit ett utpräglat importland för vetenskap och konst, mot slutet av århundradet hade utvecklats därhän att man kunde exportera både det ena och det andra. Vid den tiden är det fö möjligt att skönja en marknad för översättningslitteratur, med en bokproduktion som svarat mot en efterfrågan och som inte i första hand var ett uttryck för den statliga utbildnings- eller kulturpolitiken.

För att komma de här skisserade sammanhangen på spåren, har bl a Katharina Wallenstedts familjeförhållanden och brev från 1670-talets Stockholm varit till god hjälp. Det var alltså hon, som fick Ellen Fries att beskärma sig över den nya ämbetsadeln. Hennes levnad har i stort sett sammanfallit med stormaktstiden och både hon och hennes make Edvard Ehrensteen hade sedan gammalt erfarenhet av närhet till överheten och visste att detta, i förening med "upptuktan", kunde ge utdelning på olika sätt. Bl a hade bådas fäder verkat som hovpredikanter och hennes far, liksom även Ehrensteen, hade under en följd av år tjänat som informator, respektive guvernör för peregrinerande adelsynglingar. Ehrensteen kom därefter i statstjänst och upphöjdes i adligt stånd av Karl X Gustav. Själv var biskopsdottern Katharina Wallenstedt vid tiden för sitt giftermål 1655 sedan flera år kammarfröken hos drottning Kristina.

Katharina Wallenstedts brev från 1670-talets Stockholm till maken, som befann sig på en diplomatisk beskickning i Holland tillsammans med grevarna Per Sparre och Claes Tott, är genomsyrade av statusmedvetande och svaghet för den moderna lyxen och fyllda med detaljerad information om ävlan och tävlan och motsättningar inom aristokratin och nyadeln. Hon berättar utförligt om sin uppvaktning hemma hos Sten Bielke och Magnus Gabriel De la Gardie för att få ut makens lön, som lät vänta på sig. Ehrensteen, som dittills sällat sig till De la Gardies anhängare, rekommenderas av hustrun att söka vinna Johan Gyllenstiernas bevågenhet, när hon ser hur rikskanslerns makt avtar.

Furstinnan Maria Eufrosyne av Pfalz-Zweibrücken och greve Magnus Gabriel De la Gardie. Oljemålning av Hendrick Munnichhoven 1653. Statens konstmuseer. Foto SPA.

Av synnerligt intresse är hennes reaktion på (det falska) ryktet att maken skulle bli utnämnd till landshövding i Östergötland och alltså gå miste om hovkanslersämbetet, som Ehrensteen själv bespetsat sig på, livligt understödd av hustrun. Hon uppfattade detta som en förvisning från maktens och möjligheternas centrum, iståndsatt av avundsmän inom den nya ämbetsadeln. Som hovkansler däremot vistades man i kungens och överhetens närhet, vilket skänkte "respekt och hugnad" och medförde att man kunde hjälpa sina barn "mycket snarare på föttren".

Men det står samtidigt klart, att fördelarna med en

bosättning i huvudstaden hade ett högt pris. För att bli hågkommen måste man själv ställa till med gästabud. Konkurrensen i hovets närhet och den ökade sociala rörligheten, som var särskilt påtaglig i huvudstaden, krävde att man i sin livsföring höll jämna steg med verkliga eller potentiella medtävlare i olika sammanhang. I denna konkurrensmentalitet låg en viktig del av förklaringen till fru Katharinas omsorger om äldsta dotterns uppfostran, som den frånvarande maken funnit något överdrivna. Som svar från hustrun får han inte bara höra att "upptuktan är det förnämsta arvet... man måste mycket utgiva för lärdom" utan också att "många borgardamer gå grannare än adelsdamer hos oss i dessa tider". Därför hade det varit nödvändigt att engagera en person, som undervisade dottern i konsten att uppträda som en adelsdam. "Hon måste hålla sig som hennes lycka kan vara."

Många har fått hjälp på traven med att leva upp till den maximen tack vare aristokratins statusmässiga resursutnyttjande. I Greta Ehrensteens fall blev lyckan att hon med tiden blev både grevinna och kanslipresidentska genom sitt giftermål med Nils Gyldenstolpe, som gjorde en enastående karriär under det karolinska enväldet tack vare sin anslutning till kungamakten.

Referenser

I uppsatsen *1600-talsbönderna och deras herrar* (i Den svenska juridikens uppblomstring i 1600-talets... stormaktssamhälle, ed Göran Inger, 1984) har jag nyligen skärskådat traditionen från Heckscher och samtidigt redogjort för nyare socialhistorisk 1600-talsforskning och däribland min egen, varifrån det nya sättet att se på 1600-talslyxen härstammar. Den forskning jag hittills genomfört på temat *Lyxkonsumtion och samhällsförändring* föreligger i ett större manuskript, avsett att publiceras inom kort. Med denna forskning som underlag har också samarbete inletts med kulturminnesvården och Skoklosters slott, tänkt att få formen av ett gemensamt forskningsprojekt. Ansvarig för museisidan är Arne Losman.

I det följande redovisas ett urval källor och literatur, som föreliggande artikel stöder sig på. Fullständig dokumentation får anstå till dess nyssnämnda manuskript publiceras.

W Abel, *Agrarkrisen und Agrarkonjunktur*, 1966.

E Andrén, *Skokloster. Ett slottsbygge under stormaktstiden*, 1948.

B Asker, *Officerarna och det svenska samhället 1650–1700*, 1983.

F F Carlson, *Sveriges historia under konungarne af pfalziska huset*, 1–7, 1855–1885.

Erik Dahlbergs dagbok, utg av H Lundström 1912.

Johan Ekeblads brev 1–2, utg av N Sjöberg 1911.

N Elias, *Die höfische Gesellschaft*, 1975.

A Ellenius, *Die repräsentative Funktion adliger Bauten und ihrer Ausstattung im Schwedischen 17. Jahrhundert* (i Arte et Marte..., ed D Lohmeier), 1978.

P Fahlbeck, *Sveriges adel*, 1, 1898.

E Fries, *Erik Oxenstierna*, 1889.

Svenska kulturbilder ur 16- och 1700-talens historia, 1901.

Teckningar ur svenska adelns familjeliv i gamla tider, 1901.

A Fryxell, *Berättelser ur svenska historien*, 13–18, 1846–1852.

L Gustafsson, *Dienstadel, Tugendadel und Politesse mondaine* (i Arte et Marte etc), 1978.

J Habermas, *Strukturwandel der Öffentlichkeit*, 1976.

S Hansson, "Afsatt på swensko", *1600-talets tryckta översättningslitteratur*, 1982.

E F Heckscher, *Sveriges ekonomiska historia*, I:1–2, 1935, 1936.

K G Hildebrand, *Nya näringar – nya resurser* (i Då ärat ditt namn... Om Sverige som stormakt i Europa), 1966.

K Johannesson, *I polstjärnans tecken*, 1968.

B Johansson, *Godsförvärv och likviditetsproblem... i Södermanlands och Uppsala län 1680–1720*, (otryckt licentiatavhandling), 1969.

R Josephson, *Karl XI och Karl XII som esteter*, KFÅ 1947.

S Jägerskiöld, *Erik Lindeman-Lindschöld*, KFÅ 1983.

S Karling, *Trädgårdskonstens historia i Sverige*, 1931.

W Karlson, *Ebba Brahes hem*, 1943.
Ståt och vardag i stormaktstidens herremanshem, 1945.

E Kjellberg, *Musik och musikutövning vid Gustav II Adolfs hov* (i Gustav II Adolf och Uppsala universitet), 1982.

J von Kruedener, *Die Rolle des Hofes im Absolutismus*, 1973.

N Lagerholm, *Den svenska stormaktstidens högadliga begravningsskick 1650–1700*, 1965.

L-O Larsson, *Bönder och gårdar i stormaktspolitikens skugga*, 1983.

G Lindahl, *Magnus Gabriel De la Gardie, hans gods och hans folk*, 1968.

M Liljegren, *Stormaktstidens gravkor*, 1947.

A-M Lohmeier, *Das Lob des adligen Landlebens in der deutschen Literatur des 17. Jahrhunderts* (i Arte et Marte etc), 1978.

A Losman, *Carl Gustaf Wrangel och Europa*, 1979.
Karolinen Nils Bielke som kulturpersonlighet, KFÅ 1983.

Lorenzo Magalotti, *Sverige under år 1674*, utg av C M Stenbock 1912.

Å Nisbeth, *Carl Gyllenstiernas Steninge-servis* (i Kronobergsboken), 1973.

M A Ohlsson, *Stormaktstidens privatpalats i Stockholm*, 1951.

S I Olofsson, *Carl X Gustaf, Hertigen – tronföljaren*, 1961.

Charles Ogiers dagbok... 1634–1635, utg av S Hallberg 1914.

M Revera, *Gods och gård 1650–1680. Magnus Gabriel De la Gardies godsbildning och godsdrift i Västergötland*, 1, 1975. Del 2 i manuskript.
Adlig godsdrift i 1600-talets Sverige (i Från medeltid till välfärdssamhälle. Nordiska historikermötet i Uppsala), 1974.
Hur bönders hemman blev säterier (i Bördor, bönder, börd i 1600-talets Sverige, ed M Revera och R Torstendahl), 1979.

Schering Rosenhane, *Hortus regius*. En kunglig trädgård. Original med översättning och efterskrift av S Hansson, 1978.

H Rosman, *Textilfabrikerna vid Barnängen*, 1929.

N Runeby, *Monarchia mixta*, 1962.
Ett fostrat folk. Till frågan om Per Brahe och den nationella kulturen (i Braheskolan under fyra sekler), 1980.

G Selling, *Stormaktens huvudstad* (i Historia kring Stockholm), 1966.
Steninge (i Uppland, Årsbok etc), 1982.

B Steckzén, *Johan Baner*, 1939.

K E Steneberg, *Kristinatidens måleri*, 1955.
Dräktmodet under 1600-talet (i Svenska folket genom tiderna, 4), 1938–40.

L Stone, *The crisis of the aristocracy 1558–1641*, 1965.

E Tegnér, *Svenska bilder från sextonhundratalet*, 1896.

B Waldén, *Vardagsliv och lyx under stormaktstidevarvet* (i Svenska folket genom tiderna, 4), 1938–40.

T Veblen, *The theory of the leisure class*, 1949.

K Ågren, *Rise and Decline of an Aristocracy*, SJH 1976.

Vidgad horisont

Gunnar Jarring

När Karl X Gustav år 1654 tillträdde tronen var Sveriges kontakter med omvärlden ganska omfattande. Redan på Gustav Vasas tid hade man haft den första beröringen med den tidens mest aggressiva stormakt, Turkiet och med tatarerna på Krim. Kontakterna med länderna på kontinenten var väl utvecklade. Svenska studenter sökte sig i stort antal till de väl kända och berömda europeiska universiteten. Trettioåriga kriget hade lämnat sina bidrag till vidgade kontakter. Men Sverige låg trots allt i periferien och den del av världen som låg utanför Europa var föga känd. England, Holland, Spanien och Portugal hade redan under ett par århundraden sökt sig till avlägsna länder och börjat bygga upp sina besittningar på andra sidan haven. Även vårt grannland Danmark var före Sverige i det avseendet – 1616 hade danskarna grundat en handelsstation, en koloni på Indiens västkust, i Tranquebar. Men även i Stockholm följde man utvecklingen i fråga om kolonier med aktivt intresse. På holländsk tillskyndan hade Sverige gett sig in på ett kolonialt äventyr i den Nya världen, i Amerika. År 1638 kunde man i Stockholm börja tala om Nya Sverige, det som i dag är den amerikanska staten Delaware. Året efter Karl X Gustavs trontillträde var Nya Sveriges saga all. Holländarna hade med våld övertagit ett kolonialt företag som endast haft halvhjärtat stöd hemifrån. Men Nya Sverige i Amerika hade haft sin betydelse – förutom de ansvariga och ledande i Stockholm hade svenskar och finländare och deras anhöriga fått veta något om ett avlägset, mystiskt, vilt land och därmed fått sin horisont vidgad. Guvernören i Nya Sverige Johan Printz hade återvänt till Sverige som landshövding i Jönköping. Vi kan anta att man där var väl informerad om indianerna i Amerika, hur de levde och betedde sig.

Ett annat ännu kortvarigare svenskt koloniseringsförsök var Cabo Corso på Afrikas västkust. Det var ett faktori som inköptes av en stamhövding där, likaledes på holländsk inrådan. Kolonien hamnade efter en tid i danska händer men övertogs senare av holländarna. Karl X Gustav framställde i samband med kriget mot Danmark skadeståndsanspråk mot danskarna för förlusten av Cabo Corso, något som visar hur engagerad man var i detta afrikanska äventyr.

Det har sagts om den svenska stormaktstiden, att den var en resandets tid, en tid då Sverige på allvar upptäckte världen. Det är ett omdöme som i första hand gäller den tidens stora svenska resenärer. Den förste var Bengt Oxenstierna, Resare-Bengt kallad. Han hade emellertid avslutat sina omfattande resor före den period av svensk historia som här behandlas. Han gick till sina fäder 1643 efter att ha besökt det Heliga Landet – som var alla dåtida resenärers högsta dröm och åstundan – och de andra länderna i Främre Orienten däribland Persien, ett land vilket han besökte som förste svensk – någon föregångare kan i varje fall inte beläggas.

Den första svenska reseskildringen kom ut på Johann Kankels tryckeri på Visingsborg år 1667. Det var Nils Matson Kiöpings berättelse om sina resor i främmande länder. Bokens titel var *Een kort Beskriffning uppå Trenne Reesor och Peregrinationer, samt Konungarijket Japan*. Den kom i flera olika upplagor, den femte och sista upplagan så sent som 1790. Den måste alltså ha varit en mycket populär läsning.

De två första upplagorna innehöll dessutom en skildring av en resa till Ostindien, Kina och Japan

Een kort Beſkrffning
Uppå
Trenne Reeſor och Pere=
grinationer/ ſampt Konungarijket Japan:
I.
Beſkrifwes een Reeſa/ ſom genom
Aſia / Africa och många andra Hedniſka Konunga=
rijken/ ſampt Öijar:
Med Flijt är förrättat aff
Nils Matſon Kiöping/ fördetta SkepzLieutnat.
II.
Beſkrifwes een Reeſa till OſtIndien/
China och Japan:
III.
Med Förtälliande
Om förbenembde ſtoora och måchta Konunga=
rijketz Japan Tillſtånd/ ſampt theß Inwånares Handel
och Wandel:
Förrättat och Beſkrefwit aff
Oloff Erickſon Willman/ Kongl: Mayſt:tz Skepz=Capitaien.
IV.
Uthföres een Reeſa ifrån Muſcow till China/ genom Mon=
gul och Cataja/ öfwer Strömen Obij: Förrättat aff een Ryſk Geſandt/ ſom
till then ſtoore Tartaren Niuki war ſkickad.
Then gode Läſaren till Tienſt/ uthi thenna Book författat.

Tryckt på Wiſindzborg/ aff Hans HögGreſl: Nåd: Rijkz
Drotzens Booktryckare JOHANN KANKEL.
Anno M DC LXXIV.

Titelbladet till den andra Vi-singsborgsupplagan av Kiöpings resebeskrivning. Skoklosters slott.

Cabo Corso enligt en samtida gravyr. Ur Silfverstolpe, Historiskt bibliotek. Kungl Biblioteket.
Foto Kungl Biblioteket.

"giordh och beskrefwen aff Olof Erickson Willman, Kongl. Maijtz Skepscaptain". Denna berättelse försvinner i de senare upplagorna.

Båda var västmanlänningar och båda var prästsöner. Kiöping från Köping – därav namnet – och Willman från Västervåla. Kiöping som var född 1630 var den som blev mest bekant. Han gick helt ung till sjöss, fick anställning hos holländska Ostasiatiska Kompaniet år 1647 och besökte därefter en rad länder i Afrika och Asien. Han skildrar ingående sina besök i bl a Sinai och i Persien. Hans kringfarande liv upphörde med ett skeppsbrott vid ön Formosa – våra dagars Taiwan –

Infödingarnas mottagande av kolonisatörerna var knappast vänskapligt. Ur Michael Hemmersam, West-Indianische Reisebeschreibung, Nürnberg 1633. Kungl Biblioteket. Foto Kungl Biblioteket.

där han träffade svensken Fredrik Coyet, som likaledes var i holländsk tjänst och ståthållare på slottet Zelandia. Det lär ha varit omkring år 1655.

Av särskilt intresse är Kiöpings skildringar från Persien, ett land med vilket Sverige några årtionden senare skulle komma att uppta direkta förbindelser. Kiöping

besökte både Isfahan och Shiraz. Han noterar, att Bengt Oxenstierna varit där före honom. På en vägg i två olika kloster i de båda städerna fann han en inskrift på latin som Resare-Bengt lämnat efter sig som bevis på sitt besök. Detta konstaterande skulle kunna tolkas så att Kiöping i förväg känt till Oxenstiernas resa men så är knappast fallet. Kiöping återvände till Sverige 1656, men författade sin reseskildring först fyra år senare. Att han därvid använt sig av – eller i varje fall känt till tidigare resenärers skildringar – framgår emellertid av en notis i hans bok: *Den som har Olearii Dag-bok öfver Holstenska Sändebudets resa till Persien, kan deruti göra sig till pricka kunnig om altsamman.* Den tyske medlemmen av hertig Fredrik III:s av Holstein-Gottorp beskickning till Ryssland och Persien Adam Olearius hade år 1647 utgivit sin ännu idag berömda reseskildring *Beschreibung der moskovitischen und persischen Reise.*

Kiöpings bok är ingen kronologiskt upplagd reseskildring utan skildrar hans reseupplevelser mera efter det värde han själv tillmäter dem – vilket ingalunda förringar bokens betydelse. Mycket är fantasibetonat och uppseendeväckande, men det var tidens sed och förklarar säkerligen den popularitet som den fick. Den öppnade fönstren till en ny värld för den tidens svenskar.

Näste store svenske resenär var Claes Brodersson Rålamb (1622–1698). Han tillhörde högadeln, fick en gedigen uppfostran i Uppsala och i Leiden i Holland, besökte redan vid unga år både Frankrike och Tyskland. Han var med på Karl X Gustavs fälttåg i Polen. Det var under den tiden som' hans diplomatiska talanger uppmärksammades. Turkiet var en stormakt och dit sändes Rålamb 1657 som svensk ambassadör för att undersöka möjligheterna för ett förbund med den mäktige sultanen. Uppdraget var närmast att betrakta som en "mission speciale."

Ungefär samtidigt avsändes en annan delegat, en Rigatysk som hette Gotthard Vellingk, till sultanen i samma ärende, något som måste ha skapat förvirring hos turkarna. Därtill kom att de båda sändebuden ingalunda stod på god fot med varandra.

Den 22 februari 1657 avreste Rålamb från Stettin – han hade tagit avsked från Karl X Gustav i en liten stad i Preussen som hette Frauenburg – den 27 maj 1659 kunde han i Göteborg avlägga rapport om resan till Kungen, som tillfälligt befann sig där.

Claes Brodersson Rålamb (1622–1698). Kopia efter Ehrenstrahl. Skoklosters slott. Foto Björn Hallström. Inst f materialkunsk.

Rålamb utgav 1679 en bok om sin resa och sina upplevelser i Turkiet med titeln *Kort Beskriffning om thet som wid then Constantinopolitaniske Resan är föreluppit.* Den utkom 1732 även i engelsk översättning. Än viktigare är emellertid den omfattande och ytterst noggranna dagbok som Rålamb förde under sin resa. Den utgavs in extenso 1963. Den står i gräll motsats till Kiöpings reseberättelse. Hos Rålamb finns inga rövarhistorier. Här talar den noggranne, väl utbildade och kultiverade diplomaten. Rålambs dagbok är en oskattbar källa till inte endast den tidens ceremoniel och beteendemönster vid det turkiska hovet utan även – och framför allt – är den en etnologisk guldgruva för vår kunskap både om folken på Balkan och i Turkiet. Man kan förstå att Rålambs korta resebeskrivning upptäcktes i London och översattes till engelska. I dag skulle hans dagbok förtjäna att bli tillgänglig för en bred internationell publik.

Med Johan Gabriel Sparwenfeld (1655–1727) kommer den lärde vetenskaplige resenären in i bilden. Om någon kan sägas representera begreppet "vidgad horisont" under Karl XI:s tid så är det Sparwenfeld. Hans resor var vidsträckta. Redan i tjugoårsåldern hade han besökt de viktigaste europeiska länderna. I Rom hade han genom förmedling av drottning Kristina fått tillträde till Vatikanens bibliotek och fått studera dess rika handskriftsskatter. År 1684 fick han medfölja den beskickning som Karl XI då sände till Moskva. Sparwenfeld stannade hela tre år i Ryssland och reste vida kring i det ryska riket. Det var i Moskva han lade grunden till det stora slavisk-latinska lexikon i fyra delar som nu förvaras i Uppsala Universitetsbibliotek. Det är resultatet av ett mer än 20-årigt lexikaliskt arbete, som gjorde Sparwenfeld ryktbar i hela Europa, som den störste kännaren av den äldsta slaviskan.

År 1688 fick Sparwenfeld av Karl XI ett starkt rudbeckianskt influerat uppdrag att göra en forskningsresa "till Göthiska Monumenters uppsökande". Det förde honom ut på omfattande resor, vilka påbörjades 1689 och avslutades först 1694. De förde honom till

Turkiska dignitärer. Ur den serie målningar som Rålamb låtit utföra under Konstantinopel-vistelsen. Rålambska stiftelsen. Nordiska museet. Foto Nordiska museet.

Frankrike och Spanien, till Nordafrika där han under sju månader vistades i Algeriet och Tunisien. Han återvände till Rom och besökte även sådana lärdoms-säten som Wien och Prag. Resultatet av hans långa resor och lärda mödor blev kanske inte så särskilt "götiskt", men av så mycket större betydelse ur all-män humaniora-synpunkt. Sparwenfeld förde med sig hem till Sverige ett stort antal handskrifter och böcker i de mest skilda ämnen och inte minst egna anteck-ningar och diarier. Under sina återstående livsdagar stod han i en livlig brevväxling med den dåtida lärda världen. Det var något som bidrog till att ge Sverige ökat anseende.

Om Sparwenfeld sägs det i en dåtida relation: "Han hade rest oändligt mycket, hade stort förstånd och war en stor Philosoph."

ХО

Хощу : желаю , усердствую . усерд = *Cupio, is, opto, desidero, aveo, exopto,*
ствую , долгъ , похотствую , *expeto, appeto, volo, voluntatem habeo,*
по радоптелствую . *voluntas mea fert.*

Хощу быти : хочу быти , *Cupio esse, desidero tecum maneres*
имамь ли мавъ быти .

Хощу изпразднитися : на *Cacaturio, ris, volo, excrementa ejicere.*
дворъ итти

Хощу рещи : хочу глаголать . *Dicturio, ris, cupio proferre verba*

ХР

Храбрость : доблесть , делию — *Strenuitas, atis, bellica virtus, for-*
душїе . мужноіть , дерзость . *titudo, robur, alacritas, magnitudo ani-*
mi, animi excelsitas.

Храбрый : делиподушный , му = *Strenuus, a, um, ad res agendas promptus,*
жественъ , доблъ . *Bratioticus, bellicosus, fortis, robustus,*
celer.

Храбрый воинъ : поборитель . *Pugnax, cis, miles bellicosus, vigilans.*

Храбрть : мужественнъ . *Strenue, adverb: fortiter, diligenter,*
vigilanter.

Храбрейшїй : доблейшїй . *Pugnacior, comparat. fortior, robustior.*

Храпалный : исхрапалный . *Excreabilis, le, quod excreari potest.*

Храпанїе : исхрапанїе . *Excreatio, otis, screatus, gargarismus,*
ipsa screatio.

*Johan Gabriel Sparwenfeld (1655–1727). Litho-
grafi. Kungl Biblioteket. Foto Kungl Biblioteket.*

*En sida ur Sparwenfelds stora slavisk-latinska
lexikon. Uppsala Universitetsbibliotek.*

Snapplåsbössa i lyxutförande tillverkad på beställning av Sparwenfeld i Kremlrustkammaren, Moskva, 1684–1687, för att skänkas till kronprinsen Karl (XII). Livrustkammaren. Foto Livrustkammaren.

År 1677 infann sig Ludvig Fabritius i Stockholm och erbjöd Karl XI sina tjänster för att öppna handelsförbindelser med Persien över Ryssland. Det var en tanke som låg i tiden. Engelsmännen hade sedan några årtionden tillbaka börjat leda en del av den persiska handeln över Ryssland till Archangelsk. Det var framför allt handeln med siden som Fabritius använde som lockbete. I Stockholm var man inte obenägen att göra ett försök. Den 30 juni 1679 utnämndes Fabritius till Kongl Svensk Envoyé till Kongl Persiska Hofwet.

Fabritius var holländare till börden – återigen ett exempel på holländarnas roll då det gällde att vidga den svenska horisonten. Han var född den 11 september 1648 på fästningen Oranien i Brasilien. Han slutade sitt liv som svensk år 1729. Innan Ludvig Fabritius 1677 erbjöd svenska kronan sina tjänster hade han

Ludvig Fabritius (1648–1729) porträtterad av M Meijtens d ä. Gripsholm. Foto SPA.

haft ett händelserikt liv. 1663 hade han gått i rysk tjänst som artilleriofficer. Han hade blivit tillfångatagen vid Astrachan av den ryktbare upprorsledaren Stenka Razin och hans kosacker och hade blivit såld som slav men senare friköpt. Han hade därefter återvänt till rysk tjänst.

Ludvig Fabritius ledde tre svenska beskickningar till den persiske härskaren som hade sitt hov i Isfahan.

Den första beskickningen avgick från Stockholm 1679 och återkom i november 1682, den andra uppehöll sig i Persien 1683–1688 och den tredje och sista under åren 1697–1700. Fabritius' kungstanke var att leda den svensk-persiska handeln över Novgorod till Narva och därifrån vidare genom Sverige till Lübeck. Någon mera omfattande handel kom emellertid inte till stånd. Svårigheterna och besvikelserna var många och stora –

men upplevelserna och intrycken från den persiske schahens hov i Isfahan var desto större och djupare. De har ingående skildrats av Johan Kempe i hans bok *Kongl. swenska envoijen Ludwich Fabritii lefwerne* vilken utkom långt senare, år 1762. I den talrika svit som medföljde Fabritius på hans beskickningsresor till Persien ingick bl a under den andra resan, tysken Engelbert Kempfer, sedermera känd som en framstående Japanforskare och botanist samt under den tredje resan den kände språkforskaren Henrik Brenner.

Nils Matson Kiöping, Claes Rålamb, Johan Gabriel Sparwenfeld och Ludwig Fabritius får gälla som de stora namnen under 1600-talets senare hälft, under Karl X Gustav och Karl XI – de som främst bland alla resande svenskar vidgade Sveriges horisont och berikade vår kunskap om avlägsna länder.

De krig som förts under Karl X Gustavs och Karl XI:s regeringar hade berört ett relativt begränsat område av Europa i vår omedelbara närhet, framför allt Danmark och Polen. Med Karl XII utvidgas kriget, det kommer efterhand att föras i avlägsna och mera okända delar av Europa. Att krigen bidrog till att på sitt sätt vidga horisonten, därom kan det inte vara något tvivel. Men det är först när krigslyckan vänder, efter katastrofen vid Poltava och kapitulationen vid Perevolotjna i juli 1709 som vi i denna delen av vår svenska historia kan börja tala om en verkligt vidgad horisont – den kommer som en följd av olyckor och nederlag. Poltava betydde en ny inriktning i svensk kultur- och forskningshistoria.

Den 1 juli 1709 kapitulerade svenskarna vid Perevolotjna och omkring 14 000 svenskar, officerare och meniga, fick gå i rysk fångenskap. Dessförinnan hade Karl XII med omkring 1 000 man lyckats ta sig över till Turkiet där han slog sig ner i Bender för att senare efter den berömda kalabaliken bli överflyttad till Demotika, till slottet Timurtasch. Åren 1709–1714 fjärrstyrde kungen Sverige från Turkiet.

Kontrasten mellan vad som hände de svenska krigarna efter den 1 juli 1709 är stor. De som gick i rysk fångenskap, gick mot Moskva och Tobolsk, mot mörker, kyla, svåra umbäranden, psykiska lidanden; för många fanns det inget hopp om att få återvända till fosterjorden. För dem som följde kungen till Turkiet låg det sol över scenen. Det var det fantasieggande och stimulerande äventyrets tid. De rörde sig i en exotisk omgivning, den var fredlig med undantag för den korta episod som kallas "kalabaliken" i Bender. Ingen frös och ingen svalt. Det var en bekväm – men monoton – tillvaro som kungen själv kallade "lathundsdagarna i Bender". Heidenstam har i *Karolinerna* fått fram kontrasten mellan Sibirien och Turkiet i de två berättelserna "Fångarna i Tobolsk" och "Gustaf Celsing".

Efter Poltava ägnar sig många av karolinerna åt forskning och studier, i det ena fallet i frihet, i Turkiet, i det andra i fångenskap, i Ryssland och Sibirien.

Kungens huvudintresse låg i Turkiet på det praktiska politiska planet: att hos turkarna skapa sympati för den svenska saken och motsatsen för den ryska. Det gällde att förvandla nederlaget vid Poltava i förnyade framgångar. Men de diplomatiska ansträngningarna måste genomföras i Konstantinopel, inte i Bender, och de fick i den turkiska huvudstaden vid Bosporen, genomföras av särskilda härför väl skickade sändebud. Kungen tvangs att stanna kvar i det avlägsna Bender. Eftersom overksamhet inte låg för hans rastlösa kynne fördes hans tankar in på nya områden. Tiden fick inte förspillas i sysslolöshet. Bender låg på tröskeln till Orienten, inte minst den bibliska Orienten, som mot bakgrunden av det karolinska tidevarvets stränga religiositet utövade en särskild lockelse till utforskning. Det var mot denna bakgrund – en kombination av upptäckarnyfikenhet och from religiositet – som Karl XII:s tre Orientexpeditioner kom till. De tre officerarna Loos, Sparre och Gyllenskepp fick 1710 order att efter en tids vistelse i Konstantinopel resa till det Heliga Landet och Egypten för att "taga uti ögnesikt de där befintliga rariteter och monumenter dem de skulle avrita". Kungens frikostighet var stor och de tre officerarna var väl rustade för företaget. Resultatet blev över 250 ritningar av orientaliska antikviteter. Tyvärr blev de till större delen offer för Bender-kalabalikens våldsamheter. De förvarades på vinden till kungshuset och gick upp i rök. Endast ett fyrtiotal räddades och förvaras nu på Nationalmuseum. Av de tre officerarna bör Cornelius Loos särskilt nämnas. Han är den förste som avritat ruinstaden Palmyra i Syrien. Den skildrades av Loos i ett monumentalt panorama.

Den andra Orientexpeditionen utgick från Konstantinopel i augusti 1711 under ledning av hov- och fältpredikanten Mikael Eneman, som på en del av resan åtföljdes av en ung notarie i kommerskollegiet Johan Silfvercrantz – han dog emellertid under resan i juli 1712. Enemans resa berörde det Heliga Landet och Egypten. Han återvände till kungens högkvarter i Turkiet 1713. Det sägs, att kungen var så intresserad av hans upplevelser att han lät honom under två månaders tid en timma om dagen berätta om sin resa i Orienten. Eneman utnämndes till professor i Uppsala och tillträdde i oktober 1714, men avled kort därefter. Hans rika vetenskapliga material från Orientresan har ännu inte i sin helhet gjorts tillgängligt för forskningen.

Den tredje Orientexpeditionen påbörjades i januari 1714 strax efter det Eneman återvänt. Den genomfördes av Henrik Benzelius, en medlem av den lärda Benzeliusska familjen. Efter grundliga studier i Konstantinopel reste han till samma länder som Eneman redan besökt – det var framför allt det Heliga landet, dess historia och dess bibelarkeologi som var hans stora intresse. Hans studier i de orientaliska språken var ingående och de lärdaste rabbinerna försäkrade, att ”de icke känt Benzelii like i de orientaliska språken”. Benzelius verkade efter hemkomsten till Sverige en längre tid vid Universitetet i Lund och slutade som Svea Rikes ärkebiskop.

I Bender hade svenskarna kungens beskydd och aktiva intresse för vetenskapliga och kulturella insatser.

I Sibirien hade de svenska krigsfångarna sin beskyddare i Sibiriens generalguvernör furst Matvej Gagarin som i Tobolsk understödde många av dem i deras lärda studier och forskningsexpeditioner långt in i det asiatiska Sibirien. Det gäller i första hand om Philipp Johan von Strahlenberg. Han hade som så många andra blivit tillfångatagen vid Poltava och förd till Sibirien. Fångenskapstiden använde han med Gagarins tillstånd och skydd till vidsträckta resor, varunder han gjorde noggranna anteckningar om allt vad han såg och upplevde. Detta hans forskningsarbete resulterade i något som närmast kan beskrivas som en sibirisk encyklopedi. Hans bok publicerades 1730 i Stockholm, alltså efter hemkomsten från den sibiriska fångenskapen, under titeln *Das Nord- und Ostliche Theil von Europa und Asia*. Strahlenbergs bok är ännu idag ett av de viktigaste bidragen vår kännedom om Sibirien. Det har blivit uppmärksammat som det första stora geografisk-etnografiska arbetet om Sibirien. Särskilt den karta som var bifogad hans arbete var för samtiden av största värde. Hans arbete innehåller även en Tabula polyglotta av den typ som dåtidens forskare och resenärer så gärna upprättade. Strahlenberg blev banbrytaren och pionjären i de sibiriska språkens utforskande och gruppering – det gäller både uraliska och altajiska språk. Samojediska, tungusiska, korjakiska och jakutiska, för att ta några exempel blev genom Strahlenberg kända språkliga begrepp. Men som språkforskare var han något av rudbeckian – det låg i tiden – och de flesta av hans språkliga jämförelser håller inte stånd för modern språklig analys. Han uppmärksammade möjligheten av släktskap mellan indianspråken i Amerika och de sibiriska språken över en landbrygga som en gång existerat över Berings sund. Han drog paralleller från vad han tydligen erfarit om indianspråken i kolonien Nya Sverige.

I Tobolsk kom Strahlenberg i förbindelse med den stora koloni av ”buchariska tatarer”, dvs turkar från Buchara som höll till där. De sysslade framför allt med handel. De bytte Sibiriens pälsverk mot Turkestans

Vue de la tres fameuse Ville apellée_ Palmira _ ou Tacm

*Delar av Loos' stora panorama
över Palmyra. Nationalmuseum.
Foto Statens Konstmuseer.*

produkter, guld och silver och andra eftersökta varor. Strahlenberg förvärvade av någon av dessa buchariska tatarer i Tobolsk texten till ett centralasiatiskt-turkiskt historieverk författat av Abul Gazi Bahadur Chan. Det får anses vara Strahlenbergs förtjänst att detta historieverk kom till den europeiska lärda världens kännedom. Det är i denna dag en av de viktigaste källorna till Centralasiens historia.

En ung svensk Charles Schulman, som medföljde Strahlenberg på dennes resor, avkopierade 1721 inskrifter på ett okänt språk vid Bei, en biflod till Jenisej. Det var något av en vetenskaplig sensation när dansken Vilhelm Thomsen 1893 kunde dechiffrera dem som turkisk runskrift och att språket var ett dittills okänt fornturkiskt språk.

Styckjunkaren Johan Gustaf Renat var av judisk börd och hans far tillhörde den grupp av judar som den 29 september 1681 lät döpa sig i Tyska kyrkan i Stockholm, varvid han undfick namnet Renatus "den pånyttfödde". Renat var med vid Poltava, han fördes som krigsfånge till Tobolsk, han deltog i en av furst Gagarin organiserad expedition, som bl a skulle leta efter guldsand i Öst-Turkestan. 1716 blev han tillfångatagen av kalmuckerna och tillsammans med några andra svenskar förd till kalmuckernas högkvarter vid floden Ilis övre lopp. Där upplevde han många äventyr men utmärkte sig också som en tidig representant för svensk teknisk hjälp till ett underutvecklat folk: han lärde kalmuckerna att gjuta kanoner och att trycka med lösa typer i stället för med utskurna trätavlor, s k blocktryck. Men det viktiga med Renat ur forskningssynpunkt är att han vid återkomsten till Sverige år 1734 medförde två kartor, båda av oskattbart värde för vår kännedom om Centralasien. Det har under tidernas lopp växt upp en riklig litteratur kring Renats kartor. De är ännu i dag föremål för den lärda världens intresse. Själv har Renat inte efterlämnat någon relation om sina upplevelser. Indirekt framgår de av de personalier över Brigitta Scherzenfeldt som är bevarade i Vitterhetsakademiens arkiv. Brigitta, som var

född på Bäckaskog i Skåne, hade ett fantastiskt livsöde. Hon hade blivit tillfångatagen vid Poltava, hon hade blivit förd till Tobolsk, tillsammans med sin dåvarande man hade hon deltagit i "guldsandsexpeditionen" och blivit tillfångatagen 1716 av kalmuckerna – hennes man stupade i striden med dem – och förd till Ili, i kalmuckisk fångenskap. Hon lyckades vinna deras förtroende och fick viktiga uppgifter vid det kalmuckiska hovet. Hon vistades ett par år i staden Jarkend vid Södra Sidenvägen – den första av svensk börd som nått så långt in i det innersta av Asien. I Ili hade hon ingått äktenskap med Johan Gustaf Renat – hennes fjärde giftermål.

När paret Renat 1734 återkom till Stockholm efter 23 års fångenskap hos ryssar och kalmucker medförde de tre kvinnliga slavar från kalmuckernas centralasiatiska hemland. En av dem bar ett rent östturkestanskt namn Jaman Qiz, vilket närmast kan översättas med "satflicka". Efter ankomsten till Stockholm döptes de tre hedningarna – som de ansågs vara – omgående till den rena protestantiska läran, och fick namn med mera kristlig innebörd – Anna Catarina, Maria Stina och Sara Greta.

Det var flera av de krigsfångna svenska officerarna som tillfälligt, eller för alltid, gick i rysk tjänst under fångenskapstiden i Sibirien. Bland dem bör särskilt nämnas Johann Christopher Schnitzker (Schnitscher). Han beledsagade den kinesiska beskickningen till den torgutiske chanen Ajuka 1712–1715 och författade en *Berättelse om det Ajuckinska Kalmuckiet* som publicerades i Stockholm 1744. Boken kan sägas vara en första etnografisk beskrivning av kalmuckerna, deras seder och bruk eller som Schnitscher uttrycker det "deras politique och philosophie, med flera deras lefwernes sätt och seder så wid bröllop som wid begrafningar".

Ryttmästaren vid Norra Skånska Kavalleriregementet Ambjörn Molin medsändes 1716 av furst Gagarin på en rysk expedition till Stillahavskusten, Ochotsk och Kamtchatka. Han var då en krigsfången löjtnant i

Tobolsk. Han nedskrev en högst värdefull relation om sin resa genom Sibirien till Fjärran Östern, vilken är bevarad i Linköpings stiftsbibliotek. Den har titeln *Berättelse om de i Stora Tartariet boende Tartarer som träffats längst Nordost i Asien.* Tatarer betyder för Molin en rad sibiriska folk: jakuter, tunguser, korjaker, jukagirer, giljaker och tschuktscher – för att nämna några.

En av dem som gick i rysk tjänst och sedan aldrig återvände till Sverige är Lorentz Lange. Han inträdde 1712 som löjtnant i den ryska ingeniörskåren. Han blev efterhand expert på de rysk-kinesiska handelsförbindelserna och reste sammanlagt sex gånger till Peking, under åren 1715–1737. Lange har efterlämnat en rad värdefulla skildringar av sina resor till Kina som publicerats på ryska, tyska och franska. Lange blev 1739 utnämnd till vice-guvernör i Irkutsk och var samtidigt chef för den rysk-kinesiska karavanhandeln.

Huvuddelen av de svenska krigsfångarna var förlagda till Tobolsk och andra orter däromkring i västra Sibirien. Men det fanns officerare som sändes så långt bort som till Ust-Ilimsk, långt norr om Bajkalsjön och till och med till det ännu mera avlägsna Jakutsk. De bevakades inte – "de hittar ändå aldrig hem" som en rysk högre befattningshavare lätt sarkastiskt uttryckte det.

Efter freden i Nystad 1721 fick de svenska krigsfångarna återvända till Sverige – av omkring 14 000 återkom cirka hälften. Då var redan Sveriges stormaktstid slut. Karl XII var borta ur bilden. De som återvände från Sibirien och de som redan tidigare hade återkommit från Turkiet måste ha haft otroligt mycket att berätta om sina upplevelser. Det måste ha betytt en vidgad horisont inte endast för högreståndspersoner, officerare, diplomater och lärde män utan för folket i gemen. Vi kan anta, att man i Sverige under 1700-talets första decennier visste mer om avlägsna trakter och folk och deras seder än under tidigare skeden – det var en smärtsam biprodukt av de långa krigen – men samtidigt måste de hemvändandes erfarenheter ha varit av stor betydelse för de hemmavarandes uppfattning av den kringliggande världen.

REFERENSER

T. J. Arne, *Svenskarna och Österlandet.* Stockholm 1952.

C. V. Jacobowsky, *Svenskar i främmande land under gångna tider.* Göteborg 1930.

Robert Murray, *Till Jorsala. Svenska färder under tusen år.* Stockholm 1969, ny utvidgad uppl. Stockholm 1984.

Nils Matson Kiöpings Resa. Parallelltexter ur andra och tredje upplagorna. Med efterskrift och anmärkningar utgivna av Ture Johannisson. Stockholm 1961.

Claes Rålamb, *Diarium under resa till Konstantinopel 1657–1658* utgivet av Kungl. Samfundet för utgifvande af handskrifter rörande Skandinaviens historia genom Christian Callmer. Stockholm 1963. (Historiska handlingar. Del 37:3.)

C. V. Jacobowsky, *J. G. Sparwenfeld. Bidrag till en biografi.* Stockholm 1932.

Ludvig Fabritius. (Svenskt biografiskt lexikon. Del 14, Stockholm 1952.)

S. Konovalov, *Ludvig Fabritius's Account of the Razin Rebellion. With a portrait of Ludvig Fabritius.* (Oxford Slavonic Papers. Vol. VI. Oxford 1956.)

Ervin Petrovitj Zinner om de karolinska krigsfångarnas insatser för utforskandet av Sibirien. (Karolinska förbundets årsbok 1979–80.)

Ewert Wrangel, *Den första Svenska orientexpeditionen och Cornelius Loos' teckningar i Nationalmuseum.* (Karolinska förbundets årsbok 1931.)

Gunnar Jarring, *Brigitta Scherzenfeldt och hennes fångenskap hos kalmuckerna.* (Karolinska förbundets årsbok 1983.)

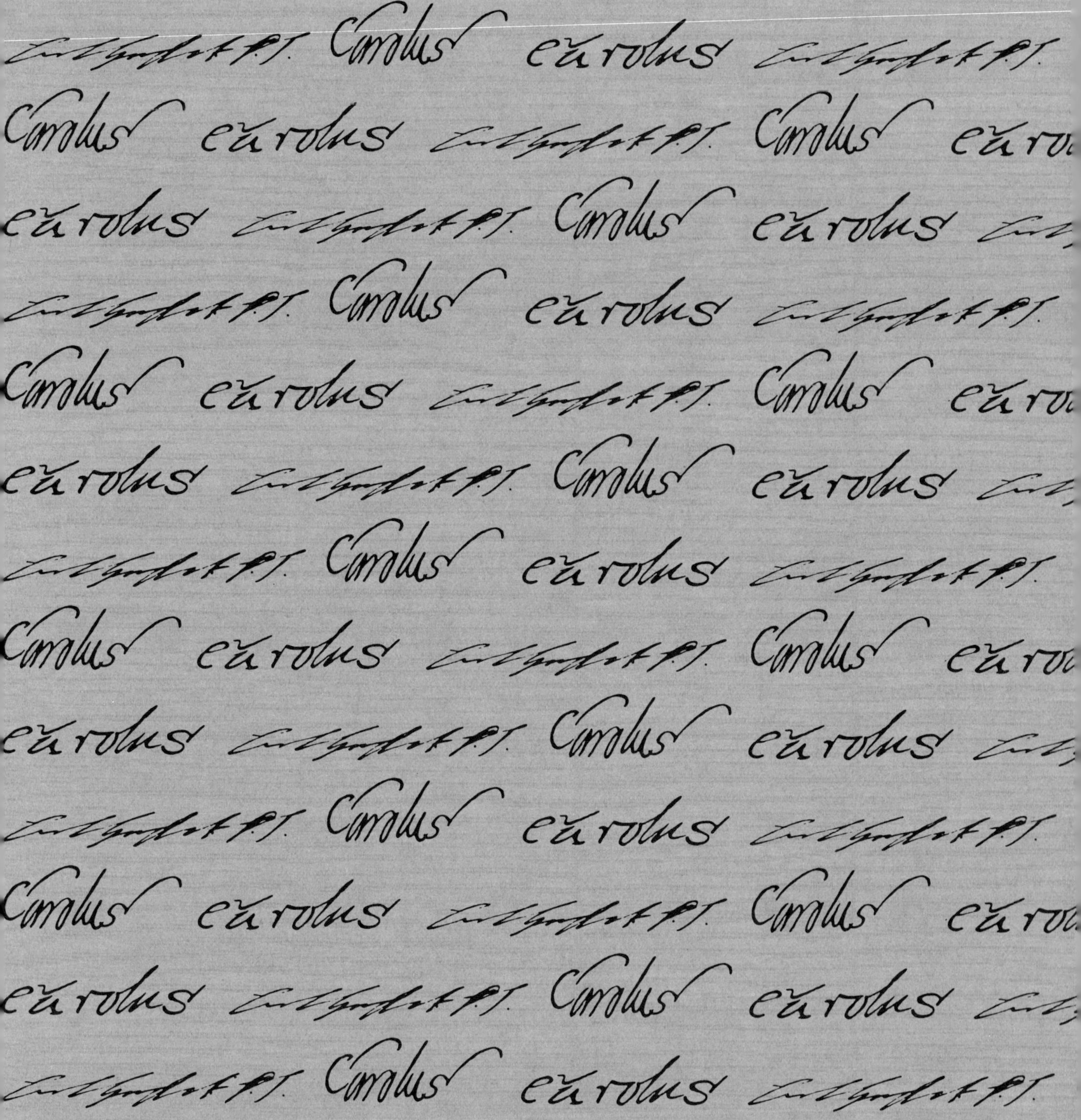

[illegible flourish] Carolus earolus [illegible flourish]

Carolus earolus [illegible flourish] Carolus earol

earolus [illegible flourish] Carolus earolus ear

[illegible flourish] Carolus earolus [illegible flourish]

Carolus earolus [illegible flourish] Carolus earo

earolus [illegible flourish] Carolus earolus ear

[illegible flourish] Carolus earolus [illegible flourish]

Carolus earolus [illegible flourish] Carolus earo

earolus [illegible flourish] Carolus earolus ear

[illegible flourish] Carolus earolus [illegible flourish]

Carolus earolus [illegible flourish] Carolus earo

earolus [illegible flourish] Carolus earolus ear

[illegible flourish] Carolus earolus [illegible flourish]